U0884458

黄河國家治理文獻集成（民國卷）第十一册
《黄河國家治理文獻集成》編委會 編

總第七十五册

綏遠省河套調查記

韓梅圃 編
王丹 編

王同春開發河套記

顧頡剛 著
王丹 編

內蒙古出版集團
內蒙古人民出版社

圖書在版編目（CIP）數據

綏遠省河套調查記 / 韓梅圃編 ; 王丹編．王同春開發河套記 / 顧頡剛著 ; 王丹編．-- 呼和浩特 : 内蒙古人民出版社，2025．8．--（黄河國家治理文獻集成）．
ISBN 978-7-204-18468-2

Ⅰ．K292.7；S275；K826.16

中國國家版本館 CIP 數據核字第 2025H6M592 號

綏遠省河套調查記　　王同春開發河套記
韓梅圃　編　　　　　顧頡剛　著

編　　者	王　丹
策劃編輯	賈大明
責任編輯	白　玲
裝幀設計	劉那日蘇　吉　雅　安立新
責任監印	李倩茹
出版發行	内蒙古出版集團　内蒙古人民出版社
地　　址	呼和浩特市新城區中山東路 8 號波士名人國際 B 座 5 層
網　　址	http：//www.impph.cn
印　　刷	内蒙古愛信達教育印務有限責任公司
開　　本	880mm × 1230mm　1/16
印　　張	11.75
字　　數	130 千
版　　次	2025 年 8 月第 1 版
印　　次	2025 年 8 月第 1 次印刷
印　　數	1—1000 册
書　　號	ISBN 978-7-204-18468-2
定　　價	98.00 元

如出現印裝質量問題，請與我社聯繫。聯繫電話：（0471）3946120

編纂委員會

主　　任　陳利保

副 主 任　周承英　吴義學　王　瑶

成　　員　賈大明　何可欣　董立群　羅　婧　王曉俊　董麗娟
　　　　　白　玲　特日格勒　徐　飛　李月琪　王麗燕　李　琳

主　　編　董　杰

副 主 編　張曉東　曹　玲

委　　員（按姓氏筆畫排序）
　　　　　王　丹　王智慧　王鑫義　白胡日查　朱紫陽　李　萌
　　　　　李新蕊　姚亞菲　陳　思　曹佳興　梁芹洋　張文文
　　　　　張　岩　張博原　張　祺　張曉英　喬恩懋　賀　莎
　　　　　楊　怡　楊建國　楊　承　霍燕平　魏雪剛

引言

千古河流成沃野，幾年沙勢自風湍。

得益于黄河冲積所帶來的疏松土質和有機物，中華先民利用石製工具開始了農業生産，并逐步發展出旱地粟作農業，『能够最大程度保障食物供給的穩定性，奠定了中華文明起源和形成的堅實基礎』[一]。而利用河水灌溉，提高區域可預測農業産量，『在産業史上起着最有決定性的作用』[二]。隨後，技術進步、經濟發展、人口增加，讓先民的文化生活大爲豐富。嚴文明先生評價道：『這是一場影響深遠的革命。』[三]在這場革命中，平衡水、沙、産、人四者之間的關係，始終是黄河治理的核心問題。四者關係一旦失衡，就容易引發諸多灾患。

歷史上，黄河下游因人口稠密、經濟發達，一直是學術界關注的重點。但自河源至今内蒙古托克托縣河口鎮的黄河上、中游區域，雖遠離王畿，人口稀疏，却也一直備受關注，人們逐步認識到黄河全流域治理是國家的重要任務。《漢書》載：『堤防之作，近起戰國，雍防百川，各以自利。』[四]没有全流域的協同治理，僅靠各地分段築堤，則黄河河患無法解决。秦建立了中國歷史上第一個中央集權大一統王朝，秦始皇東巡碣石，刻石銘記『决通川防，夷去險阻』[五]，開啓中央政府調動各要素治黄之先河，這『在中國，實質上是國家的一種職能』〔六〕。同時，國家通過對黄河的有效治理，爲沿黄流域人民群衆乃至其他地區人民群衆提供了重要的公共物品和産業支撑，成爲人民群衆眼中中央政府的功過評價指標之一。因此，治黄在增强沿黄各族群國家、政治、文化認同的基礎上，强化了中國大一統國家的合法性，成爲歷代國家治理能力的一個重要測度。

一、黄河治理維護了國家的社會穩定

從秦并六國到漢朝建立大一統國家，中國統一的多民族國家形成并得到初步發展。當時中央政府對所轄疆域有『北邊郡』和『内郡』之稱。内蒙古額濟納旗出土的居延漢簡有載，『狠（墾）田以鐵器爲本北邊郡毋鐵官印器内郡令郡以時博賣予細民毋令豪富吏民得多取販賣細民』，可以看出北邊郡是與内郡相對應的行政管轄區域。《史記》卷二十八『封禪書第六』載：『上乃遂去，並（并）海上，北至碣石，巡自遼西，歷北邊至九原。』〔七〕。《史記》卷三十『平準書第八』載：『天子北至朔方，東到太山，巡海上，並（并）北邊以歸。』〔八〕司馬遷多次提及北邊，足見統治者對北邊治理的重視。

漢武帝時，齊人延年提出從今内蒙古引黄河水經今北京一帶，向東注入渤海，以衛北部邊疆。『是時方事匈奴，興功利，言便宜者甚衆。齊人延年上書言：「河出昆侖，經中國，注勃海，是其地勢西北高而東南下也。可案圖書，觀地形，令水工準高下，開大河上領，出之胡中，東注之海。如此，關東長無水災（灾），北邊不憂匈奴，可以省隄（堤）防備塞，士卒轉輸，胡寇侵盜（盗），覆軍殺將，暴骨原野之患。天下常備匈奴而不憂百越者，以其水絶壤斷也。此功壹（一）成，萬世大利。」』〔九〕《史記》卷二十四『樂書第二』載：『天馬來兮從西極，經萬里兮歸有德。承靈威兮降外國，涉流沙兮四夷服。』〔十〕如今，包頭地區出土了『四夷盡服』瓦當，出土文物與傳世文獻的呼應，成爲黄河治理維護祖國北部邊疆穩定的見證。

《史記》卷三十『平準書第八』載：『嚴助、朱買臣等招來東甌，事兩越，江淮之閒（間）蕭然煩費矣。唐蒙、司馬相如開路西南夷，鑿山通道千餘里，以廣巴蜀，巴蜀之民罷焉。彭吳（吴）賈滅朝鮮，置滄海之郡，則燕齊之閒（間）靡然發動。及王恢設謀馬邑，匈奴絶和親，侵擾北邊，兵連而不解，天下苦其勞，而干戈日滋。』〔十一〕清代《汾陽縣志》卷十三『藝文』收録曹學閔《開修黄蘆嶺車路紀德政碑記》，上載：『永寧州，界連西陲，北達邊外歸綏諸路，商賈遠貿粟麥，泛皮船隨黄流南下，聚于州西磧口，一府之民仰利賴焉。而東至太原，南抵平陽，州縣凡二十餘，亦視汾爲槖籥，蓋所繫非特一方生計矣。』〔十二〕民國時期，東北淪陷後，開發西北刻不容緩，而『黄河中游之水利，自應加以擴充及整理，藉（借）收桑榆之效，以挽狂瀾於（于）萬一』〔十三〕。

因黄河流域自然條件優越，歷朝歷代都十分重視對此地的開發，通過强有力的國家干預方式推動各類産業的發展，爲中國北部疆域的形成和社會穩定奠定了基礎。

二、民族交往、物資交流、技術轉移促成黃河治理共同體

《史記》卷十五『六國年表第三』載：秦始皇三十三年（前214），『築長城河上，蒙恬將三十萬』[十四]。這數十萬人中，擁有一技之長的人員不在少數。由此，邊地人口不斷增多，而豐富的物産則促進了商品交流與統一市場的形成。西漢《鹽鐵論·力耕第二》記録了『异物内流』的情形：『是以羸（騾）驢馲駞（駝），銜尾入塞，驒騱騵馬，盡爲我畜，鼲鼦狐貉，采旃文罽，充於（于）内府，而璧玉珊瑚瑠（琉）璃，咸爲國之寶。』[十五]此後，黃河北岸的『羸（騾）驢馲駞（駝）』『驒騱騵馬』『鼲鼦狐貉』『采旃文罽』與西南織錦、中原麻織、農作物等物資相互交流，逐步形成統一的國内大市場，加强了邊疆與其他地區的經濟聯繫，促進了邊疆特色産業的發展。

隨着民族交往交流交融的增强，清代以降，黃河流域内蒙古段輸入到内地的也不僅僅是『异寶』了。《綏遠通志稿·水路》載：『自乾隆以還。口外墾殖日廣。民殷物阜。出境之油、糧、鹽、鹼（碱）、甘草各貨。入境之日用雜貨。山西與歸綏往來之商運。凡經河路者皆以托屬河口爲唯一之碼頭。』[十六]從清乾隆年間到民國時期，由内蒙古經黃河運到山西的貨物有糧、油、鹽、碱、藥材、皮毛等，其中以糧油爲最大宗。糧食品種主要有糜黍、穀子、高粱、豆類及玉米、大小麥

等，油料主要是胡麻。內蒙古供貨支綫有從阿拉善盟阿拉善左旗吉蘭泰鹽池到山西吕梁市磧口鎮的運鹽駝路，五原縣、臨河區一帶各大幹渠的運糧水道，杭錦旗、達拉特旗的甘草馱運綫，鄂托克旗的運碱駝路。內蒙古段各條支綫以供貨爲主，山西段若干支綫以運銷爲主。

《臨縣志》載：『清朝乾隆至民國年間，陝、甘、綏、蒙等地的物資，通過此航綫運達磧口，再用牲口馱運到離石、吴城，轉運至東路（汾、平、介、孝等縣）。據民國 20 年（1931）統計，每年從綏遠磴口航至磧口的貨船不下 4000 餘艘』，『是陝、甘、綏、寧與晋西北物資集散之重鎮』。〔十七〕可見，內蒙古在甘肅、寧夏與陝西、山西等沿黄上下游物資交易中起到了重要的聯結作用；同時也吸引了山西、陝北、河北、山東、甘肅等地的農民遷移至此，并將開渠打壩、引水澆地等農業生産技術、手工技術和商業貿易經營方式帶到這裏。他們在此扎根，除了從事農業生産外，還挖甘草、下窑背炭、在黄河上拉船、在沙漠中拉駱駝、打短工放冬羊、開碾磨油坊，等等。不同地域、不同民族的人們合力修築河渠、引水興業，逐漸形成休戚與共的共同體。其間積纍的産品交易、商業管理、社會治理等方面的經驗，在今天依然有借鑒意義。

清代『首重治河，探河源以窮水患』〔十八〕，但更深層次的考量是『宣揚大一統及增强國家認同』〔十九〕。黄河流域人口基數大、分布廣，而全流域治理理念將不同地區、不同民族的人們凝聚成命運共同體，而『大一統』理念正是這一治理實踐的核心主題。

三、黄河流域拓展了中國的發展空間

早期統治者因巡幸及邊防建設所需，統籌管理沿黄河運與秦直道等沿黄馬道，維持着中央政府對北邊的有效治理。河套平原引黄渠道的建設爲秦漢王朝屯田事業提供了基本的水利保證，并將這些區域變成防禦北部邊患的大後方與根據地。于是，沿黄馬道、沿黄河運與萬里茶道、草原絲路等陸路運輸聯通起來，促進了中華文明與其他文明的交流互鑒，拓展了新的發展空間。

新中國成立之後，沿黄各族兒女在中國共産黨的領導下團結合作、艱苦奮鬥，實現了大河安瀾。黄河流域建立起行之有效的防洪抗汛機制，支撑着沿岸的産業發展，改善了周邊生態環境。當代治黄史證明，正是由于中國共産黨的正確領導以及集中力量辦大事的制度優勢，纔從根本上減輕了河患的威脅。進入新時代，黄河流域在築牢安瀾根基的同時，以蓬勃活力拓展着中國的發展空間。沿黄九省區在協同發展中不斷釋放潛力，讓黄河流域成爲國家區域協調發展戰略中不可或缺的重要一極，爲中國的發展源源不斷地注入新動能。

綜上所述，黄河流域的治理不是單純的河道治理、生態環境治理或社會治理，而是一種關涉水、沙、産、人四者關係的系統性、協同性治理，是推動國家可持續發展的動力，也是厘清國家治理與邊疆治理兩者動態交互實際效果的絶佳視角。而黄河工程等『中國本土理論資源、學術積纍』〔二十〕，有助于研究國家治理的演進歷程。進入新時代，黄河治理與國家治理的關係研究不斷開闢新視角、持續涌現新成果，其中鑄牢中華民族共同體意識、邊疆治理與黄河流域生態保護和高質量發展成爲非常重要的研究視角。因此，基于這一角度搜集整理黄河國家治理文獻，意義重大。《黄河國家治理文獻集成》，應運而生。

本叢書系統梳理了黄河治理的歷史脉絡與經驗，既爲新時代黄河流域生態保護和高質量發展提供了歷史鏡鑒，更以文獻爲載體，傳承了治理智慧、凝聚了民族力量，是服務國家發展戰略、鑄牢中華民族共同體意識的重要學術實踐。

《黄河國家治理文獻集成》編委會

二〇二五年一月

〔一〕韓建業：《中華文明的起源和形成》，載《中華民族共同體研究》2022 年第 4 期，第 80–91+172 頁。

〔二〕中共中央馬克思恩格斯列寧斯大林著作編譯局：《馬克思恩格斯選集》第二卷，人民出版社，2014 年，第 240 頁。

〔三〕嚴文明：《黄河流域文明的發祥與發展》，載《華夏考古》1997 年第 1 期，第 49–54+113 頁。

〔四〕（漢）班固：《漢書》卷二十九『溝洫志第九』，中華書局，1964年，第1692頁。

〔五〕（漢）司馬遷：《史記》卷六『秦始皇本紀第六』，中華書局，1963年，第252頁。

〔六〕冀朝鼎：《中國歷史上的基本經濟區與水利事業的發展》，朱詩鰲譯，中國社會科學出版社，1981年，第7頁。

〔七〕（漢）司馬遷：《史記》卷二十八『封禪書第六』，中華書局，1963年，第1398-1399頁。

〔八〕（漢）司馬遷：《史記》卷三十『平準書第八』，中華書局，1963年，第1441頁。

〔九〕（漢）班固：《漢書》卷二十九『溝洫志第九』，中華書局，1964年，第1686頁。

〔十〕（漢）司馬遷：《史記》卷二十四『樂書第二』，中華書局，1963年，第1178頁。

〔十一〕（漢）司馬遷：《史記》卷三十『平準書第八』，中華書局，1963年，第1420-1421頁。

〔十二〕（清）方家駒修，（清）王文員纂：《汾陽縣志》卷十三『藝文』，清光緒十年刻本，第57-58頁。

〔十三〕王華棠、劉錫彤、吳樹德：《黃河中游調查報告》，華北水利委員會編印，1934年，第1頁。

〔十四〕（漢）司馬遷：《史記》卷十五『六國年表第三』，中華書局，1963年，第758頁。

〔十五〕王利器：《鹽鐵論校注》，中華書局，1992年，第28頁。

〔十六〕綏遠通志館：《綏遠通志稿》第十冊，內蒙古人民出版社，2007年，第176頁。

〔十七〕臨縣志編纂委員會：《臨縣志》，海潮出版社，1994年，第273、321頁。

〔十八〕趙爾巽等：《清史稿》卷一二六『河渠一』，中華書局，1977年，第3715頁。

〔十九〕劉惠：《乾隆朝重構黃河河源的實踐與國家認同》，載《清華大學學報》（哲學社會科學版）2018年2期，第147-154+195頁。

〔二十〕許耀桐：《當代中國『治理』概念的演進探析》，載《國家現代化建設研究》2023年3期，第100-111頁。

出版前言

黄河，中華民族的母親河，她不僅孕育了中華文明，更見證了中華民族數千年的發展歷程。習近平總書記深刻指出：『從某種意義上講，中華民族治理黄河的歷史也是一部治國史。』這一重要論述，爲新時代黄河文化的保護傳承以及流域治理提供了根本遵循，也深刻揭示了黄河治理在國家發展和民族復興進程中的核心地位。在學習貫徹習近平新時代中國特色社會主義思想，積極響應國家黄河流域生態保護和高質量發展重大戰略，大力推進北疆文化建設的背景下，《黄河國家治理文獻集成》的編纂出版，具有重要的歷史意義、學術價值與現實指導意義。

黄河治理，自古以來就是國家的頭等大事。從遠古時期大禹治水，到當代運用科學技術進行系統治理，中華民族在數千年的時間裏，積纍了豐富的治河經驗，留下了浩如烟海的文獻遺産。《黄河國家治理文獻集成》收録了元代至民國時期古籍、朱批奏摺、期刊圖片等多模態文獻資源。這些文獻内容豐富、維度多元，既包含記載河工技術、治理方略等的專書，又有漢文朱批奏摺、工程檔案以及不同區域的調查研究報告等。民國時期的文獻則標志着現代水利科學開始融入黄河治理，展現了我國水利事業在時代變革中的創新與發展。近代照片的收録則以更加直觀的方式將黃河治理、黃河沿岸的風貌呈現給讀者。

該文獻的出版，不僅是對瀕危黃河文化遺産的及時搶救與保護，更是對我國水利史、國家治理史、邊疆治理研究學術鏈條的重要補充，具有較高的文獻價值和學術意義。尤爲重要的是，這一集成工作，深度契合鑄牢中華民族共同體意識這一全黨全國各族人民的共同任務。各民族在治理黃河的歷史進程中，緊密協作、共同探索，這些珍貴文獻便是各民族交往交流交融和中華文明認同的生動見證。對這些文獻進行整理出版，能够讓各族人民更加深刻地認識到，在歷史長河中，各民族共同爲黃河治理貢獻了力量，共同守護了家園，從而進一步增强對中華民族共同體的認同感與歸屬感，夯實鑄牢中華民族共同體意識的歷史根基。

《黃河國家治理文獻集成》以『國家治理』爲核心綫索，構建起一個全面、系統、多維的文獻體系：在時間跨度上，聚焦從元代至民國這一傳統治河向現代水利轉型的歷史時期，爲深入研究我國水利事業的發展脉絡提供了清晰的時間坐標；在内容分類上，細緻劃分爲技術專著、工程檔案、區域研究、朱批奏摺、科學報告、圖片等類别，涵蓋黃河治理的各個方面，從不同角度展現了我國在黃河治理上的探索與實踐；在版本選擇上，秉持嚴謹、科學的態度，確保文獻内容的準確性與代表性，爲學術研究奠定堅實基礎。

在編纂過程中，叢書特别注重『全流域治理』的理念，不僅收録了有關下游防洪治河的重要文獻，還涵蓋了中游地區水土保持以及上游地區灌溉開發等方面的珍貴記載。這種對黄河全流域治理的全方位關注，與當前『共同抓好大保護，協同推進大治理』的要求高度契合，充分體現了叢書在傳承歷史文化遺産的同時，緊密服務于當代國家發展戰略的時代價值。

在出版過程中，嚴格保持原書的版式與行款，最大程度地還原文獻原貌。對于部分出現黴變、殘缺的頁面，運用先進的數字化修復技術進行精心處理，在保留原始批注與印章痕迹的基礎上，兼顧了文物的真實性與文獻的可讀性。

此外，爲了更好地服務讀者，方便學術研究，本叢書新增了目録、提要等内容，這些新增部分由編委會精心撰寫。新增目録一般編製二級，個别圖書編製三級；原書有目録而内文無對應標題的，根據原書目録照録；原書目録爲關鍵詞或者其他情况的不編製目録；原書目録與内文不一致的，以原書内文爲準；原書無目録的，按卷端、版心或其他部分輯録；一册書中收録多種圖書的，以書名爲一級標題，編製二或三級。在文字使用上，統一使用現代漢語規範繁體字，對于原版文獻中的异體字、避諱字也使用現代規範繁體字，無對應規範繁體字的保留原字。

《黄河國家治理文獻集成》的出版，是對黄河文化遺産的一次系統性、搶救性保護，具有重大而深遠的現實意義：從學術價值層面來看，叢書成功構建起一座連接傳統與現代治黄文獻的橋梁，爲黄河流域生態保護、水利工程史、國家治理史、邊疆治理、中華民族共同體學等多個領域的學術研究提供了豐富、翔實的基礎文獻，有力推動了相關學科的發展與創新；從文化價值角度而言，生動展現了北疆文化與黃河文化在歷史長河中的交融共生，爲内蒙古『北疆文化』品牌建設提供了堅實的文獻支撑，進一步豐富了中華文化的内涵與外延；從實踐價值方面考量，書中所藴含的治河理念爲我們在新時代背景下實現人與自然和諧共生、推動黃河流域可持續發展提供了寶貴的歷史經驗與智慧啓示。

在此，我們要衷心感謝各藏書機構的大力支持，正是他們提供了珍貴底本資源，纔使得本叢書的編纂出版成爲可能。同時，我們也要向文化遺産智能應用服務中華民族共同體建設『英才與蒙』團隊致以崇高的敬意，他們歷經五年的辛勤耕耘，以嚴謹的治學態度和專業的學術素養，對文獻進行了系統的整理和輯録，爲叢書的内容質量提供了堅實保障。此外，我們還要特别感謝内蒙古自治區黨委宣傳部、内蒙古出版集團將本叢書納入『北疆文庫』重點項目，并在出版過程中給予全方位支持與幫助。

我們衷心期待，這套凝聚着無數心血與智慧的《黃河國家治理文獻集成》，能够在新時代的『黃河大合唱』中奏響歷史的强音，爲黃河流域生態保護和高質量發展注入强大的歷史動力，讓黃河文化在保護中傳承，在傳承中創新，在創新中不斷發展，綻放出更加絢爛的光彩。同時，希望這套叢書能够成爲促進各民族文化交流、鑄牢中華民族共同體意識的重要載體，助力各民族更加緊密地團結在一起，共同爲實現中華民族偉大復興的中國夢而努力奮鬥，讓中華民族共同體意識在黄河文化的滋養下，扎根于每一位中華兒女的心中，成爲推動中華民族不斷前進的强大精神力量。

提要

綏遠省河套調查記

《綏遠省河套調查記》是民國時期一部系統記録河套地區自然地理、社會經濟與人文風貌的珍貴文獻，由韓梅圃調查編寫，民國二十三年（一九三四年）綏遠省民衆教育館鉛印發行。韓梅圃，原籍山西，長期居留綏遠，曾任私立河套中學教師兼圖書館主任、綏區屯墾督辦辦事處邊聞通訊編輯等職。

本書共分九篇，涵蓋地理、庶政、農業、工商、物產、水利、教育、墾務、蒙旗及風俗等主題，内容翔實且具系統性。本書詳細記録了綏遠省河套地區的社會、經濟、文化、地理、水利等多方面的情況。書中描述了河套地區的自然環境、地理特徵，深入探討了該地區的農業發展、水利建設、人口分布、村落形態以及社會風俗等，全面展現了河套地區在特定歷史背景下的獨特面貌，具有重要的歷史與學術價值。

王同春開發河套記

《王同春開發河套記》，顧頡剛（一八九三年 — 一九八〇年）撰，原載於《禹貢》半月刊第二卷第十二期，一九三五年鉛印。顧頡剛，字銘堅，號頡剛，筆名余毅等，江蘇蘇州人，中國現代著名歷史學家、民俗學家，古史辨學派創始人，現代歷史地理學和民俗學的開拓者、奠基人，禹貢學會創始人之一，倡導邊疆研究與民族問題探討。

該傳記講述了王同春在河套地區進行水利開發、開墾農田的經歷。王同春獨立、與人合作或參與指導了十條幹渠的開掘、疏浚，并挖掘了二百餘條支渠，構成了河套灌區十大幹渠的基本渠系。這些渠道極大地改善了河套地區的灌溉條件，使得原本荒蕪的土地變成了肥沃的農田，極大地促進了河套地區的農業發展。

目録

綏遠省河套調查記

王同春開發河套記

綏遠省民衆教育館叢書之一

河套調查記

閻偉題

綏遠省河套調查記目錄

序言

黃河後套，面積遼闊，東西長五百餘里，南北寬百餘里，跨分五原，臨河，安北三縣局，爲本省最大水利區域。五六年前，綏省旱災奇重，後套獨豐，人民乏食，多就食該地；因而農商各業，日漸繁榮，而淤塞之渠道，亦得稍加振興，嗣因交通不便，粟賤傷農，土匪紛起，農人未能安居樂業，棄地而逃者，比比皆是，以致多數幹渠，頻於淤塞，灌溉面積，漸次縮小；兼之孫（殿英）軍駐紮該地，將居一載，有形無形之損失，難以數計，商困於市，農困於野，當地人民，大有就食他鄉之勢。本館去年編輯綏遠省分縣調查概要時，派人前往實際調查，多方詢問當地人士，力求眞確；但結果罣漏謬疵之處，仍屬不少。茲幸有河套中學教員韓梅圃先生，在河套服務多年，對於後套情形，知之最詳，更不辭勞瘁，加以精確之調查，輯成原稿，名曰：「河套調查記」。由該校校長劉靜先生，轉贈本館，希予刊印，復商得韓君同意，將書中內容，略加修改；並繪製圖說，附刊篇首，裝訂成册，公諸社會，以供有志開發西北諸君之參考，及促進國府籌撥鉅款修理河道之注意，復興後套，以完成西北糧庫之目的也。並希

各界不吝珍言，特予指正，是爲序。　中華民國二十三年七月樊庫序於綏遠省民衆教育舘。

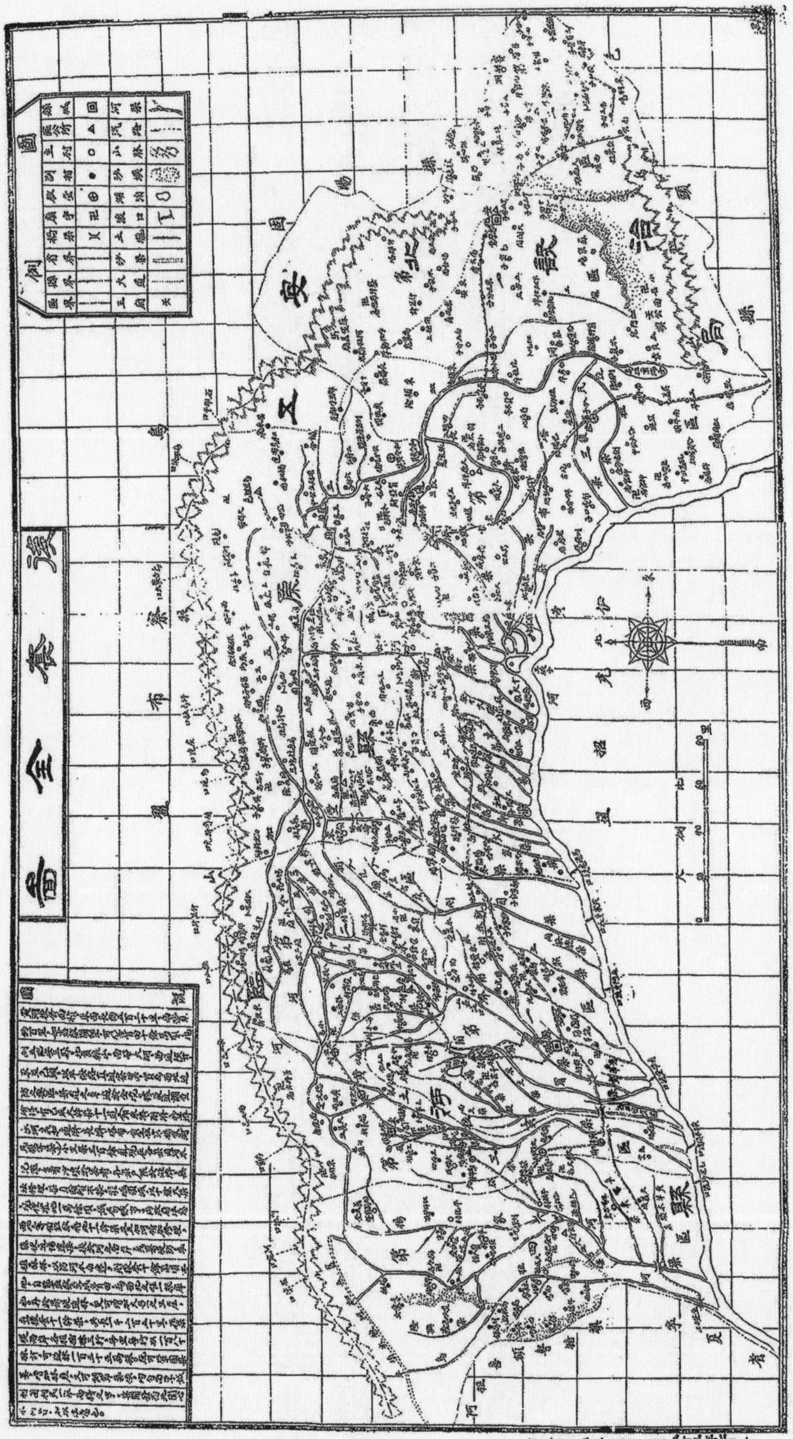
綏遠全圖

綏遠省河套調查記

第一篇 地理

位置

河套僻處綏西，距平綏路終點包頭，約華里四百五十里；依狼山，跨大河，南通陝甘，北扼外蒙，爲西北邊防之屏障，其區域包括五原臨河兩縣，安北一設治局，其疆界東至包頭縣屬東公旗之七分子，東北至固陽縣莫林河（紅花搭拉莫林河），東南至包頭縣屬西公旗之西山咀，南至東勝縣北界暨杭錦旗鄂托克托北界，西南濱臨黃河，西至甘肅平羅縣，毗連額魯特旗阿拉善之地界，西北至狼山與賀蘭山接脈處，北至烏拉山迤北外蒙土謝土汗部，此河套位置之大略。再以三縣分析之：

五原——東至安北六分子橋黃腦樓等地，與安北設治局分界；西至豐濟渠西岸地，與臨河分界；北止於陰山，南至黃河。

臨河——東至豐濟渠西岸地，與五原分界：東南達黃河，西南至太陽廟及烏拉河，與寧夏省屬之磴口縣分界；西北兩方均止於陰山。

安北——東至七分子東南至烏拉山，與包頭縣分界：東北至小奴氣溝，廣生隆，及白廟子等地方，與固陽縣分界：西北至白耳汗廟，六分子橋，與五原縣分界；西南至黃河岸，正北止於陰山。

沿革

河套古爲雍州、周爲朔方，戰國屬趙，史記「趙武靈王二十六年攘地西至雲中九原」是爲漢族佔領河套之始。趙衰匈奴復入居。秦併天下，乃置九原郡，使蒙恬將衆三十萬，北逐匈奴收其地。是爲新秦中徙謫戍實之，此爲河套繁殖之始。始皇崩，匈奴再滲其地。漢武帝元朔二年，復收其地，置朔方五原郡，徙民十萬實之。盧芳之亂，竊據邊郡，光武中興，始置幷州以領之。靈帝末，羌胡擾五原，人民流徙分散，西漢以來，屯墾實邊之計劃盡隳。建安十八年，省并州入冀州，二十年，始集塞下荒地，郡置一縣以領其民，合爲新興郡，僑治太原界。台至西晉，爲前後趙，前後秦，及赫連夏地。北魏時，黃河南還，故道名曰五加河，河套之名自此始，隋開皇五年置豐州。大業初，改爲五原郡。唐改爲九原郡，於五加河北築中西受降城，募人屯墾，出入河山之際，六百餘里，屯堡相望。唐末，西夏據河套，至宋分屬於遼，五加河以北爲遼之雲內州。金與，盡取遼地，而西夏地如故，夏金爲門館之爭，搶攘紛紜，前代屯墾遺規，至是盡歸湮沒。元滅金夏，以其地併爲下州，使隸大同路，套內地屬中興路。後廢，屬寧夏路。明初，大河以北爲韓喇(即烏拉特)所據，套內則王保保居之。洪武中，逐保保，改寧夏路，設寧夏府，府廢，徙其民改置寧夏衛，遷五方之人實之，天順六年元裔毛古里孩阿勒綽爾之部，始自河套爲寇。成化四年，亂加思闌殺阿勒綽爾而併其衆，以套地爲巢穴，九年敗之。未幾火篩之部復入套地。嘉靖中，吉納部落蹂破火篩，入居套內，號稱鄂爾多斯，服屬於察哈爾，有子九人，分牧而居；河東則爲俺答之部，名西土默特。隆慶中，俺答歸順，封順義王。萬歷中，名其城曰歸化。自明中業後，河套內外，悉爲蒙人遊牧地，明人不敢過問。清天聰八年，太宗征察哈爾，土默特部悉降，後編爲二旗，領以左右翼都統，及四副都統；其後大青山後之喀爾喀右翼，四子部落茂明安，烏拉特等六旗，（烏拉特分前後中三旗）相繼來庭，併設扎薩克，錫號曰烏蘭察布盟；黃河南之鄂爾多斯，別爲左右翼，各分前後中三旗，亦設扎薩克；後復增設前末旗，共七旗，錫號曰伊克昭盟；是爲西二盟，各設盟長副盟長；自是盟旗制度乃定，相沿未改，而漢族亦日漸西移；築屋耕田，儼同內地。雍正六年，設綏遠道。同治四年，始設薩拉齊各廳。道光之後，漢族墾殖蔓延．至河套（俗稱後套）浚渠數十道。墾地至數萬頃。光緒二十九年，命貽穀督辦盟旗墾務，又析薩拉齊廳之大佘太，附益以達拉特，杭錦，爲拉特等旗地，置五原廳，與薩廳同隸歸綏道。民元改五原廳爲縣治，八年，析縣屬之東南界爲拉特中旗地，及武川西界茂明安旗地，隸固陽設治局。析縣東南界所屬之達拉特及烏拉特前旗地，隸包頭設治局，十四年析縣東界烏拉特旗地，隸大佘太設治局，析縣屬西界杭錦，達拉特，烏拉持等旗地，隸臨河設治局。臨河設治局，在強油房地方，即漢臨河縣之故趾：十四年移新城，十八年改縣。同年，大佘太築城，五原城則民三已由王紳同春糾集地方，築於隆興長北五里之白圪梁矣。二十年，綏遠省以大佘太名字，原屬蒙旗，呈准於六月間，改設安北設治局。

氣候

河套僻處綏西，受大陸氣候之影響，溫度之差率甚大；炎夏溫度甚高，在攝氏表三十四五度，惟入夜溫度驟減，每日氣候差在二十度以上，雖伏暑時，早晚亦須御袷衣；若遇風起則早晚尤寒；故土諺有云：「早穿棉衣午穿紗，抱着火爐吃西瓜。」（河套西瓜九月始熟故云）霜期極早，秋分後，時有嚴霜，故農植物春種秋收，歲穫僅一次。自霜降至清明為氷雪期，氣溫多在氷點以下，十一月及一月間，溫度常低在攝氏表零下十餘度，地面積冰，厚可三尺，河水凍結，至清明始解。雨澤稀少。終年多西北風，春秋兩季，時有狂風；土人謂春季有七七四十九日擺胡風，蓋春秋幾無日不風也。果樹華而不實，即其他楡柳亦屬寥寥無幾；惟外人教堂所在地，林木繁茂；而當地居民，未有注意及植樹者亦氣候不能改良之一因也。

山川

河套北依陰山支脈，南跨黃河，陰山支脈之在安北境內者，正南曰烏拉山，正北曰北彥花山。在五原境內者，曰萬和長山。在臨河境內者曰狼山。大河跨其南，故道五加河убе其北，形成二河間之平原，即所謂河套也。套之中有哈拉豪賴河，在五原北。山川富庶，渠道縱橫，誠近西北之沃野，近西北之寶庫也。

面積

河套面積向無精確統計，可供吾人參考，實地測量又非易事；茲為吾人得河套總面積之一約數計，就前西北邊防督辦公署所測繪五萬分之一故套全圖，依面積計算法鈎劃為若干方形，三角形，以核算之，此數字雖不免與實際稍有出入，然於開發西北之統計預算上，或不無小補也。計算所得，後套全面積為一二五五五七·〇六六頃。總面積內河渠所佔面積，約八五四·九七九頃。道路所佔面積，約七八·一二五頃，沙梁所佔約一八三一〇·五四七頃。各城鎮村居民所佔約七·三〇五頃。由總面積內除去上述不堪耕種之各地，計可耕地約爲九一二四七·〇四頃，此可耕淨地內含有名廟地、馬廠地、永租地、蒙地、新舊墾火地，合計約二二九五〇頃。

地理改建芻議

本篇終結後，記者就管見所及，略述應行改建事項於左，用備繁榮河套者之參考。

一，地理之分界應就政治便利劃分：按河套三縣，轄境遼闊，如是，執政者未能極積從事建設，即如本縣各村位置，人口多寡，土地面積，已墾未墾，造林多寡，糧產如何，何者可事改良，何者應宜興革，爲縣長者，類未能有所明瞭，以致建設毫無，開源無術，於是乃就稍有可觀之農商，加以剝削，而於庶政，亦僅出以敷衍之一途，設能縮小縣區，則鞭長可及，建設較易，而河套繁榮，方始有望也。

二，就荒造林以改良氣候，河套土質肥沃，荒田充斥，吾人如巡行曠野，則見蘆草茵荒灘，極目無涯，殊可慨也。若能將此無數荒田，悉以之造林，則氣候必可調和，按今之河套，林木殊少，而氣候朝暮懸殊，所以然者，人烟稀少，林木缺乏之故也。苟能廣爲栽植，造林日多，上下之通氣，則氣候必可轉變溫和也。

第二篇　庶政

人口

河套草萊初闢，一切政治設施，粗具規模，應行舉辦事項，尚未遑舉行，戶口調查，迄未嚴密舉行，所有戶口報告，雖聊具一格，實則有等於無耳。據各縣前數年調查所得之報告，安北人口共二二七九九口，五原共五三六八六口，臨河共五六七八〇口。男女之比率，安北男子佔總人數百分之六八，五原爲百分之六三，臨河爲百分之三一。據吾人耳目所得，十七八年，安北約計爲三萬餘口，五原爲五萬四千餘口，臨河爲五萬六千餘口。最近調查臨河人口，第一區爲2986戶，男9115人，女4975人，共計14090人。第二區爲306戶，男910人，女620人，共計1530人。第三區爲4539戶，男9626人，女8533人，共計18159人。第四區爲2651戶，男9477人，女6426人，共計15903人。全縣合計10482戶，男29128人，女20554人，共計49682人，每戶平均爲4.3強。

五原人口，第一區19274人，第二區爲4939人，第三區爲5330人，第四區爲3439人，第五區爲4197人，合計爲37199人，

安北人口約計二萬四千餘口。

由上調查，此三四年內，臨河人口減少七千口，五原減少一萬七千餘口，安北雖無調查，然亦必有減少，推其原因，蓋十七八年綏省各縣災禍綦重，人多流離，近年河套粟賤傷農，農村破產，且去歲二十一年烟畝罰款苛重，遂促成此衰落現象云。

政治組織

河套包括兩縣，一設治局而言，兩縣卽五原臨河是，設治局爲安北，均爲行政機關，直隸綏遠省政府。縣設縣長，設治局設局長，爲各該縣行政首領，辦理全縣行政司法事宜。縣局治下，各區設區長一人。（五原五區，臨河四區，安北三區）縣政府分科辦事，內設秘書一人，科長二人，承審員一人，襄助縣長辦事。設治局設主任一人，又轄四局曰財政局，辦理地方財政事宜。曰公安局，辦理地方公安事宜。曰建設局，辦理地方建設事宜。曰教育局，辦理地方教育事宜。又各縣局均有保衛團，任地方保衛事宜；總團部設縣局所在地，縣長兼總團長。

地方收入及支出

河套各縣地方支出，雖有預算，然近年以地方財政拮据，多未能依照預算支出，而各項亦有未能如數收足者。計臨河地方各項支出，現按八扣關發現洋。安北以六扣關發，但折扣後，又以三成現金七成糧支付；糧（糜子）以兩元一石計，較市價昂七角：如薪金九元之保衛團丁，按六扣後，計五元四角，再

以三成領現金，計得一元六角二分，餘三元七角八分，僅可領糜子一石九斗，按市價可售二元三角七分，總計七折八扣後，僅實得洋三元九角九分耳。五原財政又較他兩縣更枯渴，各地之機關人員，月領維持費，每人各六元（公安局不折不扣）維持費之公雜費，以七成領發。差人八成。但所關發者，爲該縣地方所出之不兌現銅元票，以五百枚作一元，計每人可領得三千枚，以市價可值五元現洋耳。然有一樣現象者，即經常支出，雖被折扣無幾，而各機關學校，可借詞請領臨時費；倘機關主腦善伺縣長之意，則可常久領得臨時費，即以普通言，臨時費之領得，有時較經常費維持費爲多，且或可領得現金焉。蓋河套機關無分公私大小，悉爲主腦獨裁制，固無規律章程之足守也。

司法

河套民性強悍刁詐，故各縣訴訟案件，以刑事爲最多；而刑事中尤以盜匪爲最多。民事中以債務爲多，親屬繼承等絕無僅有耳，訴訟受理機關爲縣政府，主辦者爲承審員。但各村鄉公所均設有調解處，小事則多於村公所中判其曲直而解決之，甚且笞責之，有不服村判者，即送區，區以法辦之。其在縣涉訟者，多距城較近，及城市居民間有不服區判而訴於縣府者，然究屬少數。蓋人多野蠻，畏官如虎，且費亦不貲，一經涉訟，勢須走人情，姑不論貪官之賄賂，即央請說情之紳士，亦敲剝備至：記者曾聞及一鄉長因吞款被查發，爲所拘，鄉長聞風避匿，鄉副被拘，謂爲有夥同任罪嫌疑，該鄉副討保被釋，多方說情，請客焉，送禮焉，稽遲月餘，費銀百元，未得結果，旋被傳，又不敢到案，乃津貼該舖保人代爲之坐獄，月供以大烟酒食等，日費數元，又延月餘，案始結，罰款三百元，連同諸運動費共費五百餘元，而最奇者，此被罰款及諸說情費用，乃由避匿之鄉長，代出三分之二，究實則彼等之吞款案，亦無實據可云；是以知官家之壓迫小民，固無須犯法有據，而人民之於官，亦不知應如何對付，惟對大獄，知服從而已，蓋人民被嫌疑押寄者，動輒經年，俟官長高興時，則又放出去矣。獄分大獄看守所兩種：大獄係判決徒刑之執行所，看守所則臨時性質。室均黑暗異常，無窗戶，木檻爲門，獄吏敲詐備至，初入看守所者，須於尿桶前睡眠，如有錢賄買，不僅可免此罪，抑可不居檻內，優游院中；甚矣，金錢之爲用也。（本書刊印後，復經分別調查，司法情況，現已漸臻改善，以上所述，約係前數年之傳聞耳。）

稅捐

河套三縣，除地方捐已列入地方收入項說明外，尚有國省稅收機關，計塞北關征收局，烟酒事務局，禁烟稽查處等總局，均設五原，安北臨河設分卡。

交通

河套僻處塞外，千里平原，廣袤無涯，無道可言，而隨處是道，固無須修挖，即可通行車駝人馬也。雖陰山亙於北，烏拉山阻於東，然均有大道可行。水路以黃河爲主，惜以流沙所阻，汽輪難通，僅能行各種船筏，小筏可順大幹渠縱橫套內。茲就汽路郵電各現況述之如下：

（一）汽路　包寧路爲十四年國民軍所修，由包起程，經亂水泉子，麻池，廠汗以力更，耳蒙汗，哈業薩氣，保合少，達子店，公廟店，小廟子，西山嘴等處，入安北境，經長雅店，南牛犋，扒子補隆，把總地，西槐木，東大壕，白家地，過燕安和橋，入五原境，經隆興長，十八頃地，鄔家地，楊家地，入臨河境，又經劉三地，大成西，張家廟，達臨河城，過臨河城，經黃羊木頭，天義成，以至烏拉河，入寧夏境，計程由包至臨約六百里，路多不平，車行困難，現僅通包五一段，自包五汽車公會之組織，車係運貨廠車，無篷子，以行李墊底，人坐其上，以繩索橫縛之，一路塵沙障目，窒人鼻息，沐風浴雨，極行路難之嘆；由包至五，票價十元，行李每人三十斤，過此須打行李票，近以由五返包者少，票價減低，爲五六元不等，計通行包五之汽車，每日多者三五輛，少僅一輛而已。

（二）包五大道　包五大道，爲通外蒙大道之一，由包至五，約四百五六十里：由包起程，經後灣、毛兔神窯子，公忽洞，入烏拉山，經沙埧子，萬興公，五傘毛安，老爺廟圪鉢，台梁，烏拉忽洞，安北城，三岔子，四櫃，板旦，達五原。

（三）五烏大道　五原至烏補勒口子，計程七十里：由烏補勒口子通外蒙界，約三百里。五烏吉蒙太大道，五原至烏吉蒙太口子，計程六十里，再北通外蒙界，約三百里。通行套內之陸運，以車馬駱駝爲主。普通價格車載三人至臨河，須十元左右；至安北需八九元。駝運載貨，日取價二元餘，可載重四百斤。

（四）船筏　通行黃河之船筏，有七站板，高板大船，及筏子三種，通行寧夏包頭間。七站板下水可載重四萬斤；高板大船半之。筏子載八千上下。上水則僅載四分之一。船行速度，下水日行二百里，上水行四分之一。此外尚有牛皮筏、羊皮筏，亦水運工具。筏之購造，係以整牛羊皮吹氣使脹，架以木排，謂之紅筒；大筏紅筒一百六，小筏紅筒八十，筒內可裝塞牛羊毛，筏上可裝貨物，大者載重四萬斤，小者二萬七八千，到達目的地後，紅筒即以駝載回寧夏，再次下水亦可用，三四次即廢；往返費時，年僅可來返二三回，而納捐頗重，除省定之船筏捐外，又須爲護路軍發納費，總計每筏須納三十餘元，亦云苛矣。此外通行各幹渠之小筏，爲數無多，且不運貨物，僅於水滿渠時，運柴火及糧食而已。

（五）郵政　河套地廣人稀，郵政未能發達，且盜匪橫行，尤感包裹難通之患。現五原設三等甲級郵局一所，轄三盛公，扒子補隆，五原舊城，烏蘭腦包四處郵寄代辦所。郵路凡三條：一曰隆磴路，由隆興長至磴口，長五百里，爲間日晝夜班。二曰隆烏路，由隆興長至烏蘭腦包，爲間日班。三曰隆扒路，由隆興長至扒子補隆，長一百二十里，爲三日班。售票日益增多。臨河設三等乙級郵局一所，轄磴口陝壩蠻會之郵寄代辦所，郵路亦三條：一曰臨磴路，由臨河至磴口，凡三百二十里。二曰臨陝路，由臨河至陝壩，凡四十里。三曰臨蠻路，由臨河至蠻會，凡九十里。皆間日一班。售票約五原七分之一。安北現僅設代辦所一處。屬包頭郵局兼轄，售票寥寥，業務極少。河套因土匪騷擾，包裹難通，近頃匪患肅清，已漸收寄；惟須於包局存儲成數，始以車駝裝運，故郵寄包裹，甚稽延時日也。至匯兌則由五臨郵局投匯，由該局再轉由平市官錢分局匯包，始行再匯轉他處，故匯費殊昂也。

（六）電政　河套三縣均有有線電報局。五原於民二即設四等局，東通包頭安北、西通臨河、磴口、石嘴子，以至寧夏。臨河於十五年設支局，通五安包寧夏，安北於民七設支局，通包五、惟營業均不發達。長途電話，各縣局均可通接，附設電報局內。五安通話七角，安包通話七角五分，五臨通話一元一角，五包通話一元二角，五綏通話一元九角，臨安通話一元六角，臨包通話二元三角，每次各另收通知

建設

河套荒萊未闢，諸待積極之建設，然各縣局多因經濟困難，未遑舉辦，除郵電交通二建設外，且無其他可言。按各縣局均設有建設局，每年亦計劃工作，舉辦植樹，但年來成績毫無，所附之農業試驗場，亦未收若何效果；惟安北設治局之建設，尚能於本縣出產諸事，有詳明調查，供建設之參考；近且測繪安北全圖及安北縣城圖，為較可申述之一事。五原建局，自去歲曾創辦一毛織工廠，織染毛布，成績可埒綏包。（詳見工商篇）今年又於五加河上修築一渡橋，現尚未成功。又五原新建之戲院及妓館，已於去歲完成二座；新城東南隅之戲院，可容人八九百，凡大集會，均假該院為地址，妓館計五院毗連，院各十間，粗稱完善。惟使吾人不解者，五原社會命脈之學校，則艱於經濟，迄未修築完成；縣立二校，仍賃居冀魯豫同鄉會地、他校亦簡陋不堪，重樂輕學，可深慨也。聞臨河亦擬修建妓館，但刻尚未興工。殊有可深欣慰者，五臨兩縣，於今春五月間，均由津購得廣播收音機一架，每日接收南京諸報告，萬里一日，裨益匪淺，惜五原之司機務者不工，較臨河稍遜一等耳。

保衛

清咸同間，西夏金雞保之役，金將軍所部南人凱旋，道經河套，留套治生業，哥老會之根，於焉。以伊不肖之徒，招亡納叛，樹黨結援，為害社會，蔓延殆遍；後首領雖為當道所誅，然根蒂猶未除也。且鼎革以來，河套駐軍複雜，接防無常，每一退走，即留若干不肖，潛伏鄉村，有此兩因，遂成刁悍之民，盜匪淵藪。年來土匪雖云肅清，然根株未去，刁民難服，風吹草動，實難望不死灰復燃也。故河套保衛問題，吾人須深切注意之。按河套治安之維持，有賴駐軍，次賴保衛團與游擊隊，尤在此三者協同互助，方克有濟：今日河套駐軍，為陸軍六十師之四〇五旅，全旅五原一團，臨河一團，安北一營，然均屬旅部而兼任防衛者，散居各鄉，集合為難；旅部設五原新城，旅長兼五臨衛戍司令，自去年冬以來，地方安堵，為二十年最。至各縣局保衛團組織及游擊隊概況，述之如下：

保衛團三縣均有之，團長由縣長兼任，下設副團長二人，由公安局長兼任一職，另由軍事專家遴用一人，請省加委。團長下設隊長教官，以司教練之責。計安北團丁約百三十人，分駐各區及縣城，薪餉每月九元，但現以財政拮据，以六成關發；且此六成，亦係三成錢，七成糧。馬匹自備，槍枝多套筒槍。臨河計團丁百五十人，月薪九元，以八成關發；馬匹自備，槍枝多水聯珠。五原人數二百，均由團警訓練所（本縣二十年成立）畢業，成分爲純農民，非爲安臨之多混過事者（謂常過土匪）。衣裝馬匹均官給，月薪七元，槍枝頗雜，有老毛瑟、水聯珠、三八式、套筒、蚊種，各縣駐軍，頗與團丁融洽，訂有會哨規則，合作聯防，殊堪稱佩；且由電報局軍隊電信局互通消息焉。

游擊隊爲蒙旗之軍，以安輯地方保護蒙民爲主旨，且應商人之請，任保護之責；凡經營蒙商者，先期通知王公，交納保護費，由其派馬隊護送，護送士兵，則由商人按日發給人馬食料費用；此項游擊隊，各旗均有之；烏拉前旗約五十人，中旗五十人，杭錦旗約二百名，達拉旗約四十名，皆善騎射，能於馬馳絕迅中，十槍九中；且勇敢善戰，剿匪尤力，故土匪甚畏之。然該游擊隊，爲各王公所轄，縣局行文徵調，未能調動，而以私人名義在蒙旗中有信仰關係者，一紙請之，則立刻應召；蓋蒙旗素重信用，彼所信賴者，雖爲之効命，亦所不辭；如今春周昌旺股匪竄擾西山咀一帶，軍隊保衛團合力協勦，武陀高率游擊隊助之，頗著殊功，倘能切實聯絡蒙漢感情，使軍團游擊，合力維持河套治安，庶乎無虞矣。

庶政改建芻議

河套設計未久，政治之落伍，意中事也；茲略述其亟應改建者於左，或亦愚者一得歟。

一、清查戶口　河套迄今未舉行戶口登記，故各縣人口若干，從無統計，人口既無確實登記，則百政皆致掣肘，若攤派差繇也，放賑流通券也，舉行村社也，黑幕重重，無法爲守，甚且屑小藏匿，難爲防範，尤爲治安之大虞，故言河套政治，必先登記戶口。

二、嚴厲取締欺官壓民之紳士　河套紳士之劣，爲吾人所僅見，其鬼蜮技倆，火候純青，上欺官府，下壓平民，縣政極盡把持之能事，平民備受剝削之痛苦，糧賦以繳納爲恥，拖欠至鉅，偷巧尤爲絕技，百頃之田，所納之賦不及一，而間接徵於平民佃戶者，十又十焉，他若借貸流通，悉歸三五大紳士，在在爲黑幕政治之典型；故言建設河套，必先嚴厲取締此種萬惡劣紳。

三，司法稅關厲行澄清　司法官吏與稅局人之黑幕，已於本篇述及，此種蟊賊，必須澄滌，否則上貧爲國，下困爲民，徒使彼輩中飽也。

四，修建包寧鐵路　包寧路修建之利益，言者衆矣，茲不贅述；所願鄭重爲國人告者，包寧路一日不修，近西北一日無繁榮之望也。

五，建設公路以利交通　河套交通，至稱不便，影響所及，至大且鉅，消息滯塞，民智難開，商貨輸轉不易，農民之產物，運銷尤艱，政治之命令傳達，動輙經月，故河套亟應建設公路也。

六，戍軍蒙旗及縣保衛聯防治安　河套蒙漢雜處，地勢遼闊，村村相距遙遠，素少聯絡，以故一般不法之徒，潛居村中，極難防範；近頃五臨兩縣，已有共黨潛伏，暗中煽惑農民兵士，以謀擾亂治安，故急應有嚴密之防範，以遏亂於未萌。按衛戍軍人數甚少，且於地方，間有不熟，更與肘者，爲蒙漢之糾轕難清，故河套治安，應速籌衛戍軍蒙旗游擊隊與縣保衛團之聯防辦法，否則閭閻殊難告無虞也。

第三篇　農業

河套農業概述

河套爲近西北之一大米糧川，其農產品爲近西北冠，所謂「天下黃河富一套」，即在於能利其灌溉而又少泛濫之害也。五加河（黃河故道）行其北，大河行其南，東西啣接，適成一環形，築渠於大河，尾閭通五加河而仍歸諸大河，則千里河套，皆成沃野；且以土地平曠；尤利渠行，是河套之所以獨富也。乃近年以還，業農者務多而不勤，司渠者坐視淤塞而不修，馴致五加河退水不暢，各渠更患滯塞，益以匪賊傷農，於是河套農業，一落千丈，成空前未有之災，興言及此，良用浩嘆。今後之謀開發河套者，首當提倡農業之改良，渠道之疏濬，悉闢此四百萬方里之原野爲佳壤，則非僅西北之幸也。爰將河套農業詳況，誌之如左，或亦有志西北者之小補也。

河套可耕已耕地面積

河套可耕種地，約六萬八千頃，除去沙旱鹼灘等，肥沃可耕者約五萬餘頃，據河套墾地之已丈放者言，約一萬五千頃，而私墾蒙地，所在皆是；又因已丈放之地，荒棄者亦有之，故吾人欲得一河套已耕地確數，實難以墾局放地之數爲根據，較可信者，爲每年青苗之丈算也。據吾人調查所得，五原年丈青苗約二千五百餘頃，臨河約四千頃，安北約三千頃，合計約一萬頃。另據包西水利局勘丈青苗數，二十年爲八千四百七十頃，二十一年爲六千八百七十四頃。惟河套丈地，向不據實認眞，大地主之地，一頃丈三四十畝，卽小民戶亦例加折扣，如一頃青苗，或因地質較次，或因苗稼不佳，均以五六扣扣之，故以二十年丈青水地計，八千四百七十頃，以二倍倍之，當爲一萬六千九百四十頃，再加旱地及山水地合計之，可二萬頃，此數字與一般熟習河套農事者之口頭推算，無大差異，當屬可靠。至二十一年實減少三千餘頃者，蓋受近年河套粟賤傷農之嚴重打切也。

河套土壤性質

河套地層，純由黃河沖積而成，平衍肥沃，微帶鹼性，得水灌漑，則酥如雞糞，生殖力甚強，不得水則石田坐嘆；故繁榮河套，首在渠利。今五臨二縣，渠道縱橫，灌漑甚便，土質亦佳；安北略有遜色。茲就三縣土壤，分述於次：

五原　本縣渠道縱橫，土地平衍，南部沿黃河一帶，多黃沙土；中部窪下之地，其質多城；北部多黃黑沙土；全縣土質，皆帶黃色，質堅硬，生殖力甚強，宜種小麥，蘼子，豆類等。

臨河　本縣西部及西南部，地多紅沙土，南部多紅土，東北部多黃黑土，東南部多黃土，全縣土色多紅，質多膠泥，土脉融和，又距黃河最近，宜種小麥，蘼子，豆類，收穫最爲河套冠。

安北　第一區西北西南及西部，有渠水灌漑、多黃土及黑土，東南多黃土及沙土，南部多沙土，北部多黃黑沙土。第二區東南部多紅黃土，西南部多黃土，以紅黃土爲最肥。第三區未詳。全縣以黃土居多，土質微沙，生長性最良，宜種小麥，豆子，蔴子，高粱等。

農民種類數目及農田分配率

河套農民，略可分爲富農、自耕農、半自耕農、佃農、傭農、五種；富農爲大地主，以地爲業而不自耕，此輩多兼營商業，且爲地方有力之紳董。自耕農爲有地三五頃之農人，除自耕外，兼傭長短工，幫同耕植。半自耕農爲有地一頃八十畝者，兼租他人之地以種植。佃農爲租他人之地而種植者。傭農則爲終年以工資出賣苦力者。全套農民，無精確之統計，約數五原爲二萬四五千，臨河爲二萬一二千，安北爲一萬八九千，內以佃農爲最多。佔全數百分之五十；次多爲自耕農，佔全數百分之十五；再次爲半自耕農，佔全數百分之十五；傭農約佔全數百分之二十；富農爲數最少，不足全數百分之一。而土地分配，則大地主最多，約佔全耕地面積百分之五十；計五原千頃以上之地主有一家，四五百頃者十五家，百頃以上者五十家；臨河兩千頃以上之地主有一家，千頃以上者一家，三五百頃至百頃以上者七八十家；安北有地五百頃者一家，百頃以上者二十家；惟此數字中，包含未能種植之地若干，皆土人之口頭推算也。考河套地主如是其勢力大，竟有一人擁地十四五萬畝者，實足令人駭異，其所以造成之原因，有私包蒙人土地者，有以勢力攫奪者，如領墾十頃，而實則三二百頃者有之；故政治倘令上軌，對蒙人信用恢復，蒙人樂于報墾時，一面從事收沒私墾以官放，一面清丈已放各地，則大地之攫奪利益，不難肅清之；蓋彼輩向墾局掛領者，多不過四五百頃，餘僅一二百頃耳。

播種及收穫

河套耕地方法，至稱簡易，良田僅犂一次，耙一次，耘一次而已；次地則耘犂各一次而已。普通多採輪耘法，其法有二，一曰換籽法，一曰息地法，良田則換種不息地，大致頭年種大小麥，次年種糜粟蕎麥，再次年種豆類小麥高粱，又次年種雜糧，如此週而復始，以舒地力。（如能飽淌伏水則隔年一種小麥）劣田則用息地法，今年種甲地，則乙地空；明年種乙地，而甲地空，以養地力。作物多糜豆雜糧等。茲列播種收穫表如下：

作物	播種期	收穫期	上地每畝收穫量	中地每畝收穫量	下地每畝收穫量
大麥	清明前後	立秋前後	一石二三斗	七八斗	五斗
小麥	清明前後	立秋前後	一石	五六斗	四斗
黃豆	立夏前後	白露前後		四斗	三斗
高粱	立夏前後	白露前後		五斗	四斗
蠶豆	穀雨前後	白露前後		五斗	四斗
豌豆	清明前後	立秋前後	七斗	六斗	五斗
馬鈴薯	立夏前後	白露前後			
糜子	小滿前後	秋分前後	一石	七斗	四斗
大蔴	穀雨前後	白露前後	一石	四斗	三斗
亞蔴	穀雨前後	秋分前後	五斗	四斗	一斗
黑豆	小滿前後	白露秋分間			
小米	立夏前	秋分後	二石	六斗	三斗
蔬菜	小滿前後	白露前後			
蕎麥	穀雨前五六天	秋分後	六斗	五斗	一斗七八升
莜麥	清明	秋分後	七斗	六斗	二斗
玉米	立夏前後	秋分後	四斗	三斗	二斗

田地價格與租田制度

河套地廣人稀，沃野無垠，故土地價格較內地低廉特甚；良田每頃價格，不過百五十元至二百元，即每畝價格爲一元五角至二元：次田每頃百元，再次則僅三二十元。其價格之高低，概以上水便利與否而定；能澆水而水又暢旺者，價最高，否則低廉；土質肥瘠之關係較少，蓋有水則可變瘠爲肥也。普通個墾，每頃價百二十元至八九十元，此項田地，均須開挖小支渠、故除地價外，所費尚多。租田制度，可分爲三：一曰永租地，係蒙旗當局租與墾局、墾局再租於民戶者。二曰租地，係蒙旗私包與漢人者，本亦名永租，所以名之包租者，與上項示別耳；此類土地，多由大地主承包，每包必三五百頃，年限二三十年，而租金甚微，每頃僅一二十元。三曰佃租地，係地主租與佃農者，須立契約；租銀分兩種，出租資每頃約二三十元，糧賦由地主負担，其他攤派由佃農負担；出租糧則分對成或四六三七，官糧亦如之，（河套農民謂各項賦稅曰害）；四六三七，（地主四成佃農六成或七成）總之以地好壞爲準；租糧分秋夏兩季交納，如遇歉歲，可緩付，但須給相當利息。此外尚有典地者，與包租手續略同，係漢人與漢人而交押金者，至期地主以押金歸還佃戶，地歸地主，在典種期內，地主對各項稅賦，概不負責，此租地之大略也。考河套地租，近年低落殊甚，良以經濟破產，粟賤傷農有以致之，十七八年，每頃可得租銀百元，地價昂至五六百元一頃，因當時糧價特高，小麥竟漲至二十元一石，現則僅五元一石而已，於此可見河套農村衰頹之一般矣。

農業種類

河套農業，可分作物牧畜製造三事，普通以作物爲正業，牧畜爲副業，亦有以放畜爲正業者；至農產製造，則屬少數。作物，以小麥豌豆爲大宗，糜子胡麻雜糧爲次，耕種既簡，又不施肥，農具陳古，效率不大。牧畜，大小農家，皆畜牛羊雞猪之屬，羊五百至五十隻爲一羣，一人牧之，冬季亦在野牧放，以飛綠二尺許高之圍墻，用防風雪。牛之壯者，多供役用，牝者亦不事乳業，乳多自己食用。羊春秋各剪毛一次，每隻可得毛四斤；每年產羔一次。駱駝五十隻爲一羣，一人牧之，以載運爲主，每隻每年可產毛十數斤，二年生產小駝一次。其他家畜有猪雞等，茲不贅述。按河套爲天然好牧場，總理云：「南美阿根庭共和國，爲供給世界肉類最大之出產地，若西北牧畜能從事開發，則供世界肉類之舉，可取阿根庭而代之，」第以現在西北之牧業，經營不良，成績不佳，前曾有某洋行設牧羊公司於五原，但以交通不便，獲利甚微，近已倒閉，僅存牧羊公司之地名，給人紀念而已，良可慨也。農產製造無足述者，惟胡麻油粉條燒酒數事可稱。胡麻每斗可榨油三斤餘，食之味殊可口，除供當地所需，餘均運往他處。榨油皆沿舊法，分大榨小榨兩種：大榨用木樑，頗省人力，產量亦多，日可榨胡麻五石，小榨頗費人力，法以鐵錘錘之，日可榨胡麻二石，若繼以夜工，則可倍焉。所餘殘糟多喂牛。粉條以扁豆製之，通常三人一磨，日可出粉條二十餘斤，用豆六斗，分扁條細條兩種。燒酒以高粱糜子為原料，多供蒙人之用。

農產物之消費市場

農作物市場，以包頭為中心，五原距包頭四百五十里，運輸悉賴黃河，順流而下，若天氣晴朗，三日可達，每船可載三四百石，夏秋之際，包頭糧商帶大宗款項，向當地糧商及農家接洽購買：收獲豐歉，固足以左右糧價，然包商之把持，亦大有力也。農家每以經濟困難，在作物未熟之先，為救一時之貧困，即預售糧而早支代價，（此種買賣，俗謂之樹梢，）此時所得價值，僅及現售二分之一，包商及當地之有錢者，無不利市三倍焉。河套灌地大渠，均可通行大船，故裝船非常便利，隨處皆可，包頭碼頭在南海子。皮毛羊毛經本地商人和沙做就後，運往包頭，再由洋行運津出口；羊皮多為順德皮商收去；牛皮有運津者，有製革者；羊皮頗佳，毛長而細，略如西寧皮。胡油除供當地食用外，多由河運至山西陝西寧夏等處銷售。燒酒除供本地用外，餘皆銷與黃河以南及狼山以北之蒙人。

農村

河套設治未久，數十年前，本為蒙古地，在貽谷放墾前，有少數漢人來套墾殖，年納些許禮物於王爺府，故現在在此落戶者，多不過兩三世。以晉北河曲及陝西府谷為最多；近年來自他處者，亦復不少。自屯墾軍來套屯墾後，人口日漸繁多，然墾軍除三數堡子外，尚未建成村落；其他農人既事耕田，故皆就各人所種田地內築土屋數間而居之，無院落，有一家獨居者，有數家聚居者，數十百家聚成村落者頗少。平常人事，少所往來，是以無一定組織，僅按渠澆地時有一度之聯絡。近年分區劃村，每縣三五區不等，每區轄村自三五村二十餘村不等，每村所轄有廣至數十里者，相距六七里尚屬一村，出門多騎馬，計長里數，亦不準確，一跑即到，所謂跑馬里也。有人問甲地至乙地多遠，土人常答以七八里，若步走則或三四十里，實爲同一途徑也。農家有磑磨者甚少，故有專設磑磨而收磨課者。人情極澆薄，鄰里不知互助，而騎馬生客，可飯宿而不取費；若肩行李之步行客，則待遇極薄，飯僅糜粥而已。風俗簡陋，野合隨處有之，甚有不熟面者，戀愛亦可速成。生客宿家時，與家人同炕，雖年青女子，亦與之談笑同玩而不嫌。鄉村有學校者甚少，幼童多牧牛羊，識字者百無二三。商店在鄉村中僅小雜貨店，大烟紙烟雜貨油鹽餅子無不俱全；然此僅大村中有之。又藥商于春季多有河南人負担傳賣，冬季有順德之收皮販子，收買牛羊皮。農民得藥殊困難，有病則多求大仙，喝白水，（神前供過之神水）食香灰丸以療之。大仙所在有之，廟如狗窩，以土成之，俗諺有云「除了大仙沒神啦」間有就醫者，亦多爲走江湖之野大夫，終年無娛樂可言，戀愛賭博吸大烟爲農餘三事。秋末或有演劇酬神者，戲多山西梆子。

農民生活

河套農民之生活，可分地主、自耕農、佃農、僱農四項述之。地主多居於城鎮中，過其紳士之優異生活，田地則設「公中」以經理之：「公中」爲設於田地中之一院落，內設「掌櫃的」管理一切事務；工頭管理田地及放地，實則權力有過於掌櫃的，一般佃農每多與之納交；先生管理記賬書牘等事，每當春季，佃農之往謁公中者，踵相接；在昔凡地戶之民刑各事，悉由公中解決，宛若一政府然；現此風已煞，無復往年之黑暗矣。大地主以居縣城者最多，除兼充紳士外，並多兼水利社經理或村長，幾年因土匪擾擾，俱避居縣城，村事社事，由村社派員請示辦理，於農民權力頗大，而率呼之爲老爺，自稱奴才。大地主除以經濟力剝削諸佃農外，且以武力擺布之，如某地主囑某農代種大烟二十畝，官款佃農自出，至時只收割便宜，以烟苗奉獻地主而莫敢或抗其命，蓋彼雜在諸佃農中，又被稱爲地主之親信者，彼猶又狐假虎威，再敲詐其他農戶也。地主擁田數百頃，又法力超群，剝削佃農之方法，亦出人意表；彼猶自有其勢力及官場交際手腕，於淘丈青苗時，有一切便利；而彼向佃農丈青收租，却甚認真，故於政府征收田賦中，彼可轉而漁利，如種田百頃，在官只丈二十頃，以四元收賦，計八十元，彼於佃農可丈青畝八十頃，亦以四元收賦，己賺利一倍矣；再加彼等常拖欠公款，官家以另一種利益言，亦不認眞催促，彼等之利，又不可思議矣。日常生活頗闊綽，均染有大烟癮，或亦有娶姨太太者，其家庭亦如古代之官僚然，家有院丁，出有隨從，有奶媽，有丫環，每人約有匣子槍三兩枝，在昔時出必以馬弁護之，今日已減少此風矣。因染嗜好，故每日不午不起，妻妾小奶，因以笑話百出，土人背地或呼紳士爲泥頭，意即頂綠頭巾者；又有諺云：「無頭不泥」蓋河套有女多爲娼，男皆抽烟，（河套所謂抽烟悉指大烟）雖紳董家亦難逃此醜也。

自耕農　多由佃農逐漸發達，自己購買土地而成者，終年辛勞，自給自足，生活頗泰然，婦女亦幫同男子作飯看塲餵猪，非坐食消費者，嗜好亦僅止抽大烟而已，爲農民中之最有發展希望者。

佃農　此輩生活可別爲二：有固定者，即就某公中種地若干頃，互相爲倚，有不可分離之勢；有流動的，即今年在此，明年在彼，逐好地而耕種。俗謂之「跑青牛犋」。蓋河套之地，以水利爲先，今年有伏水淌過之地，則明年移來耕種，收租以畝丈青苗計算，有苗不徃者折扣之，無苗者則不征稅矣；此輩農人多兼畢收業，收入尚可，雖受地主之剝削，然倚地主爲生，尚可支持，否則有牛犋而無土地，不可生活矣；故河套地主農奴之階級雖形成，而尚不致利害衝突，引起鬥爭也。傭農多無家室，以出賣苦力爲生，即所謂長工短工是也；長工住食皆在主家，工資分兩等，「頭兒」係指揮其他傭農工作者，年可得工資八九十元至百二十元，以其農事常識多寡而定，且得主家之饋贈與優待；長工年約賺四十元至七十元。「頭兒」不下地作工，僅口頭指揮某也應作某項工作，牛犋應如何修理，地如何澆水，如何換種各事；此輩有帶家眷者，生活較優，可與自耕農相埒。長工則除田地工作外，尚須担水掃院作飯照料牲畜及督促短工之工作，「短工」日可得洋二三角，作工以日記，此輩於冬季多兼事砍柴打鵪鶉捉兔子之副業，爲農民之最苦者。

農家經濟狀況

河套農村，年來已瀕破產，貸款利率，竟高至五六分，於此可想見一般；地主佃農無論矣，即自給自是之自耕農，亦陷於破產狀態，惟傭農因多數已流離他處，工資尚堪自活，茲探索其原因而分述之：地方地主　在昔武斷一鄉，利源固多，而生活費用浩繁，拖欠官家款項甚鉅，若田賦，水租，攤派，借貸流通劵等，爲數殊大，在十七八年時，粟價奇昂一時，彼輩俱大發財源，而發籟性成，不謀償還債務，乃以之掛地者有之，開渠者有之，盡事擴張私人財富，方謀經營，不料十九二十年粟價日跌，彼輩因而破產，此其因一也。負欠地畝既多，支出激增，稅捐緊重，而粟賤慘落，其因二也。自身驕奢淫佚，不務經營而務事剝削，且自身既嗜好多端，子弟尤多不肖，三五齡之孩提，已染烟癖，一旦被剝削者血盡毛乾，彼輩收入無依，此其因三也。

自耕農　自耕農爲農家之最實者，近年已還，遭粟賤傷農官賦苛征之災，益均陷於破產，催款吏臨門，迫賣牛犋者有之，賣牲畜者有之，洎次年，生產工具既減，益復貧困矣。

佃農　負担倍於自耕農，故貧困更甚，去年樂牛犋什物而逃歸者，實繁有數，蓋官吏地主重重壓迫，不得不爾也；所留者，多係落戶有年，無家可歸，陷於種地無以生，不種地亦不可活之窘境，可慨也夫。

茲就記者於二十二年調查所得農家經濟狀況，分別臚陳於下，用資參考：

河套佃農家庭經濟收入支出概況

家有男子四人，女子二人，小孩二人，種中地一頃，下地一頃之戶，年可獲糜子十石，值洋十二元，麥子兩石，洋十一元六角，豌豆五石，洋五元，胡麻三石，洋十元五角，雜粮八石，洋八元，副產可入四十元，其他可入二十元，合計年收洋一百零七元一角。年支攤派洋二十元，水租十元，蒙人水草二元，村款五元，種籽四十元，牲口吃用二十元，修理牛犋用五元，長短工九十元，衣費九元二角，吃用四十元，修蓋房一百二十元，娶媳用一百元，人事應酬二十元，合計年支洋四百八十一元二角。收支相抵入不敷出洋三百七十四元一角。

河套半自耕農家庭收入支出概況

家有男子四人，女子三人，小孩四人，種中地三頃，上地（半種）一頃二十畝之戶，年穫糜子一百八十石，值洋一百八十六元，麥子四十石，洋二百四十元，豌扁豆三十石，洋四十五元，胡麻十石，洋五十元，賣羊羔七十隻，洋一百五十元，聘女財禮洋二百元，合計年入洋八百七十一元。年支攤派洋九十三元，水租八十二元，蒙人水草九元，種籽五十四元，長短工三十一元，衣服費四十二元五角，器用十四元，娶兒媳禮洋一百五十元，讀書過年四十元，牲口食用四十五元，油十五元，食用八十元，地租除付一半糧又付十五元，婚事筵席八十元，合計共支洋七百一十元。收支相抵，淨餘洋一百六十一元。

河套自耕農家庭收支調查概況

（一）家有老年者二人，壯丁二人，小孩二人，種上地一頃半，中地兩頃，下地一頃之戶，年穫糜子三十五石，值洋三十五元，麥子二十五石，洋一百四十五元，豆子三十四石，洋四十四元二角，胡麻九石，洋五十四元，瓜子四石五斗，洋五十七元，其他入洋三十元，副產洋二百元，合計年入洋五百六十五元二角。年支攤派洋二十元，水租洋九元，蒙人水草洋六元，村款洋四元，種籽洋三十元，牲口食用四十元，修理牛犋洋三元，長工洋七十元，衣服費洋十三元，食用洋一百元，蓋房子洋三十元，修理房子洋四元，應酬洋六十元，合計共支洋三百八十九元。收支相抵淨餘洋一百七十六元二角。

（二）家有老年者四人，壯丁四人，小孩六人，種上地一頃，中地兩頃二十畝，下地兩頃之戶，年穫糜子一百石，值洋一百二十元，麥子二十石，洋一百元，豌豆八石，洋十六元，胡麻四石洋十八元，莜麥十石，洋二十三元，大豆三石，洋七元五角，副產洋七元，其他入洋八元，合計年入洋二百九十九元五角。年支攤派洋二十二元，水租洋十五元，蒙人水草洋八元，村款洋十二元，種籽洋二十五元，牲口吃用洋八元，修理牛犋洋十五元，長工洋三十元，衣服費十六元，食用洋十四元，蓋房子洋四十元，修理房子洋二十元，娶兒媳洋三百七十元，應酬筵席洋九十元，小孩讀書洋八元，其他支洋三元，合計年支洋六百八十六元。收支相抵淨虧洋三百八十六元五角。

（三） 家有男子四人，女子三人，小孩六人，種中地三頃之戶，年穫糜子五十石，值洋六十元，麥子七石，洋四十二元，豌豆二十石，洋四十元，葫麻六石，洋三十元，雜粮二十石，洋二十六元，副產洋三十元，其他入洋四十四元，合計年入洋二百七十二元。年支攤派洋六十五元，水租洋三十二元，蒙人水草洋十元，村欵洋二十元，種籽洋七十元，牲口吃用洋四十元，修理房子洋十二元，修理牛犋洋十二元，長工洋六十元，短工洋六十元，穿用布疋洋十二元，購買皮子五張洋五元，棉花二斤費洋二元，食用洋一百五十元，其他支洋二十元，人事應酬洋十五元，讀書費十五元，合計年支洋六百元。收支相抵，不敷洋三百二十八元。

（四） 家有男子四人，女子三人，小孩一人，種上地五十畝，中地一頃，下地五十畝之戶，年穫糜子五十石，值洋六十一元，麥子二十石，洋一百一十六元，豌豆十石，洋十元，葫麻十五石，洋五十二元五角，莜麥七石，洋十四元，大豆三石，洋三元，副產入洋二十三元，其他入洋一百元，合計年入洋三百八十三元五角。年支攤派洋三十元，水租洋二十元，蒙人水草洋三元，村欵洋五元，牲口吃用洋二十二元，修理牛犋洋十二元，長工洋五十元，短工洋六元，買布洋五元購皮衣洋六元，棉花一元，吃用洋一百六十元，修理房子洋十五元，人事應酬洋五十元，合計年支洋三百八十五元。收支相抵，不敷洋一元五角。

河套佃農家庭收支調查概況

家有男子三人，女子三人，小孩三人，種中地一頃，下地一頃之戶，年穫糜子六石，值洋八元，麥子四石，洋二十元，豆子一石，洋兩元五角，葫麻五斗，洋二元，瓜子一斗，洋二元，谷子三石，洋二元，山葯十石，洋十元，蔴子一石洋二元，蕎麥二石，洋三元，莜麥兩石，洋三元，副產洋一百元，其他洋七十元，合計年入洋二百二十五元五角。年支攤派洋五元，水租洋五元，蒙人水草洋十元，村款洋五元，種籽洋五十元，牲口吃用洋十元，修理牛犋洋一百元，長工洋十元，短工洋五十元、買布洋三元，買皮洋六元，棉花洋兩元四角，食用三十元，調和油酒洋二十元，修蓋房子洋二百五十元，讀書費七元，其他支洋七元，合計年支洋六百零九元四角。收支相抵、不敷洋三百八十三元九角。

河套小富農家庭收支調查概況

家有男子五人，女子三人，小孩一人，種上地五頃，中地五頃之戶，年穫糜子六十石、值洋八十元，麥子四十石，洋二百二十元，豌豆三十石，洋四十五元，葫麻二十石，洋一百元，扁豆二十石，洋三十元，谷子二十石，洋二十元，黍子二十二石，洋二十二元，副產洋三十二元，其他入洋六十五元，合計年入洋六百一十四元。年支攤派洋九十元，水租洋一百元，雇人水草洋三十五元，村款洋五元，種籽洋十元，牲口吃用洋十二元，修理牛具洋九元，長工洋六十五元，短工洋五十元，穿用買布四疋洋四元，買皮子五張洋七元，棉花二斤費洋一元六角，食用洋十五元，調和油酒洋五元，修理房子洋十元，人事應酬洋六元，讀書費十五元，合計年支洋四百三十七元六角。收支相抵，淨餘洋一百七十六元四角。

上文所列、有種地多而攤派少者，係先向支胥委員納賄，故折扣頗大，此河套農村負担之一端也。又上表所列之副產，多係賣牛羊所得之資，邇年牛羊價甚疲，農人售之以謀彌補收入之不足，亦忍痛所出也。

屋宇農具什物之費用

農村建造屋宇，爲農閑之事，不備泥工，多自爲之，式樣簡單，三面堆土或坯子爲墻，一面以坯子修一低矮小門及窗戶，上加屋頂而已；遷徙時僅揭取木料而去，所費甚廉。土坯係以水合土壓成磚形即成，普通多以土塊代之；蓋河套荒野極多，土質粘堅耐久，揀地上生長寸草之地皮，以鍬切成方塊，即可代坯子而建屋。每間屋需九尺椽二十四根，（每根價一角三四分）丈檁兩條，（每條價一元五角）紅柳或查芨笆子兩塊，（每塊價一元）門一合（價五元）窗一合（價兩元）除坯子人工不需錢外，每間屋僅用木料費十七八元耳；農具什物，簡陋殊甚。茲列表如下，用供參考。又河套農民需要之燃料，多不需費購買，蓋所用皆哈毛草（白刺棘）黃芨草蘆葦等，均野生，可任意採取，有牲畜在冬季多燒牛羊磚子，係以牛羊糞壓成之方塊也。

河套農用什物價格表

什物名稱	每件價格	來源	附記
大車	八十元	包頭	此係指帶套繩之好車言，若次者僅六七十元，此車即晋省所用之大車也。
二餅子車	二十元	本地及包頭	此即所謂汴板車，車形軸轉，輪無鐵瓦椎輪，單牛曳之。
磁倒山車	四十元	包頭	與二餅車構造相同，惟輪加鐵瓦，以其較耐用故名。
鐵鍋	價格隨稍之大小而定	山西平定	黑沙鍋每稍價七角，明鍋八角，稍多鍋大價亦隨之。
水甕	大號三元五角二號二元五角三號一元五角四號一元	清水河托縣	
粗磁碗	大笨碗每個八分二圓碗五分三四小飯盌三分	清水河托縣	

河套農具價格表

農具名稱	價格	來源	附記
東犁	六七元	包頭河曲及本地	係鐵質犁轅，即晋綏一帶所用者。
西犁		寧夏	係木質犁轅，較東犁大，土人言宜於開荒，耕熟地則東犁較佳也。
東鏵	一對二角	包頭河曲	
西鏵	一對二角	寧夏	較東鏵大。

犁耳	一個二角	包頭河曲
耬	一個三元二角	包頭及本地
牛	一條廿六七元	本地
馬	一匹三四十元	本地
耙子	十一元	包頭及河曲
石輥子	五元	本地及廿肅
砘子	三角	本地及廿肅
碌碡	四元	本地及廿肅
磙子	二十元	包頭寧夏
磨	十元	包頭寧夏
東鍬	一元	包頭
西鍬	八角	寧夏
木杴	一角	本地及包頭
木杈子	二角	本地及包頭
連枷	一角	本地及包頭
木耙	二角	仝上
鐮刀	一角五分	仝上
鐵鑼子	五角	仝上
鋤	一元	仝上

有兩腿三腿之分，兩腿者稱五耬·三腿者稱九耬，人多用前者。

肩車	三十多元	仝上
簸箕	五角	仝上
篩子	二角	仝上
漏斗	三元	仝上
大羅	五元	仝上

農村之剝削者

苛捐蠹吏　河套之稅捐，名目繁多，如田賦、印花、地畝附加、牲畜捐、田房學捐、戲院學捐、菜園學捐、駝捐、附加學捐、隨糧代征學捐、公益捐、烟館捐、禁烟特捐、烟畝罰欵、店捐、房捐，稅目之多，僕更難數，直接間接，均予農民以重大負担，而實數所征，又幾倍于定額。蓋蠹吏催欵，勒索備至，農民無知，畏之如虎，見有紅色戳子之條子，則不得不以欵付之，初不知其據何定章與否也；連同村欵，每頃年納雜捐，當在二三十元左右。此外尚有經務水利各局之歲租官租水租，各稅關之稅務等，無不加重農村負担。且經局之放丈繩丈員，水利局之丈青員，索賄尤甚，否則沙梁鹼灘，不爲之去除，禾稼不佳，少爲之折扣，不僅此也，即委員之隨從馬兵，亦莫不腦滿腸肥，蓋彼等拉繩一鬆一緊間，亦大有關係也。他若各稅關之納賄，形同公開，納十元稅，開七八元之稅票，儼然非秘密行爲。違章罰欵，亦常有之，農民無敢抗者，抑亦不知反抗，蓋其受賄雖公開，而稅章則有秘密性也。

高利貸　河套利年之高，駭人聽聞，普通每月三分五分或六分，亦有大一分者，月十元即取利一元，亦云奇矣。又農民有春耕時貸糧籽者，普通爲春一秋二，即春貸一斗，秋還二斗是也。亦有春一秋三者。貸糧頗易，貸金則殊難，須立契討保，至期不還，利倍作本，否則以抵押品作質矣。無典當業，而富商紳董多兼營此利，以農民之地契作押，至期不還，則倒找繳資而攫得債務者之所有權矣。

農業物產改建芻議

河套物產饒富，除手工藝品及土法開採礦產外，類多原料，不加製造，商賈從中把持，交通又極不便，故銷路阻塞。若能將原料加以製作，減其積量笨重，則運費較廉，銷行亦易。至農業方法，則仍墨守兩千年來之成規，不知改進。茲就所見，略述於左。

（一）改良耕具　按河套農具，細陋殊甚，椎輪之車，揉木耒耜，一人兩牛，日耕田二三畝，而所耕作者，人輒十數頃，其工作草率與效率之小，可以想見一斑。故以私人言，亟應改良農具，如屯軍之犂，已較便利多多；以合作言，可籌機械代替人工，其生產量之增加，用費時間之經濟，有不可勝言者矣。

（二）官營機械農墾　套內土地平衍，畛塍整齊，多爲一二十頃爲一整塊者，荒田則百里平平，尤易於機械墾拓。然此種生產方法，費貲較多，宜於官辦。設以此種方法，盡墾河套荒田，則年可產糧二四〇〇〇〇〇石；惟先決問題，爲包寧路之修築也。（按河套可耕地數爲六萬八千頃，未墾者四萬餘頃，已墾者以舊法耕作計，以四分收成算，可得糧一〇四〇〇〇〇石；未墾田以機械墾拓，每頃以六分收成計，可得糧二四〇〇〇〇〇石。）

（三）改良耕作經濟　套民耕作，貪多成習，務多而不精，十頃之田，耕作者多只三人耳；耕淺弗鋤，草苗同生，既不施肥，地力時感不足，而所供資力，所納攤派，爲數甚多，允宜使之經濟合理化，加肥深耕，資省產饒，則庶乎有利焉。

（四）換種佳糧　套地以產糜最豐，然自外蒙不通後，糜米炒米，銷路銳減，故宜研究改良，換種其他農作物。如麥粉爲華北人民主要食品，而河套地質水利，最宜種麥；他若棉麻爲衣服原料，而河套則無人種植，亦宜試種，以裨國計民生也。

（五）獎勵自耕農　農業爲永久事業，非投機者所宜任之，然河套每多以地爲商者，僱用佃農，利不切而業不專，且一遇年景不佳，即相率逃亡，故欲河套有辦法，必先使耕者安其身業，自耕己田，庶幾心專利切，可以爲農民之中堅，是則在官廳社會，獎勵自耕農也。

第四篇　工商

工業概況

河套荒凉，無工業之可言，所有工業，大部均屬手工業。如打鐵業、木泥作業、磨房銅器業、馬鞍業縫紉業、毛織業、磚瓦業等，茲分述其概況如左：

（一）打鐵業　打鐵業在五臨安三縣均有之，可類別爲二：一爲城市中之鐵匠樓，製造各種農具，其業務爲大師傅（即工頭）出微資以經營，無資本之足述。大師傅下用工徒三四人，爲燒火打大錘及一切雜工，此種工徒爲向大師傅習藝者，故工資甚微，每日多者一角，少者六七分。二爲挑担子遊作於鄉村中者，此設多一二人爲之，無確定地趾，每年由甲村赴乙村，由乙村赴丙村，以有無工作而定行止；其業務爲修理農具及日用品，多食宿於農家，鐵料亦取給於農家，日惟工資三四角而已：其數目無由統計，爲此業者多山西人。

（二）木泥作業　營木作業務者，亦可分爲兩種：一爲商業性質，固定地址於城市，由股東經理經營之，而歷工作業；此類在五原約二十家，臨河約十四五家，安北五六家，資本多者五百元，少者百元，以出賣農具棺木什物爲大宗，工頭每日工資三角，食宿均在木廠。一爲流動作業者，此設僅爲人僱傭而作業，多與泥工合作，包攬工程，工頭以包工淨利爲己之收入，小工則日得洋一角；木泥兩業，多山西及冀籍。

（三）磨坊　磨坊之大者曰缸房，多兼營燒酒業，亦爲商業行中之一種。其規模較大，僱有磨工，設有足踏麪羅。磨以套計，兩騾拉之大石磨，一日夜可磨麪百九十六斤，謂之兩套。磨工工資，每月二三角不等。其他製酒工頭，則爲具有特別技術者，多頂生意（即股份之意），其利與股東按股均分，害則不負責任）資本多者五千元，少者一千元，蓄存糧放賬頗獲資本也。磨坊之小者，不兼營製酒，僅設小磨一套，磨主自兼磨工，日可出麪百斤。此外尚有農家於冬季農閑時磨麪者，但爲數無多。河套每石麥價約六元上下，可磨得麪二百四十斤，售洋七八元，上麵每元二十五斤，餘混麪每元三十斤，多售於餅子舖烙餅，計淨利每石麥可得一元上下。

（四）銅器業　營此業者甚少，多係一二人為人修理用具，及化銅製一切什物，人呼之為某銅匠，實一家庭手工藝；其工資以件數及種類計，無作日工者。

（五）馬鞍業　營此業者，五原約十四五家，臨河半之，業務頗發達。蓋河套村落寥稀，牧畜繁盛，出入均拉馬代步，皮革及木鞍，均由該業自製，鐙及燒藍等細銅飾，均購自包頭，資本多者一二千元，少者數百元。

（六）縫紉業　業此者五原計七八家，臨河三四家，均置舊式縫紉機兩三架，工人四五人，其業務亦差可。工人工資以件計，工價較包頭約昂四分之一，每套粗布單制服工資須洋一元，棉衣則須兩元，較細者工價加倍；大褂一件，須洋一元，棉則須洋一元五角，襖褲每件須洋六七角。

（七）毛織業　毛織業可分四種：一為毛布紡織，二為栽絨毯業，三為毛毡業，四為毛鞋業。毛布紡織，現僅五原有一處，為縣資所立，由五原縣長崔正春及紳士所倡立，有機兩架，技師二人，習徒十數人，由各村保送，藉圖推廣，現出布無多，該技師兼紡且織，而又兼教授也；月薪五十元。習徒習成返鄉，俾使此業普及農村，而達自給自足之目的；並開設毛布分廠，期人人能耕或織，現創設未及一年，諸尚未有頭緒也。又五原現尚有一家專織毛衣褲背心者，有技師一人，工徒八九人，亦獲利不少；惜出品粗陋，不知洗毛使淨，如能使毛色白軟，則毛布毛衣兩業，俱甚可為也。栽絨毯業，五原有八九家，工徒計二十餘人，每人每日可織一方尺，每方尺售一元二三角，均純羔毛，其花樣陳腐，染色欠佳，較之包頭寧夏實有遜色，出品多四六、三六（長六尺寬三尺四尺）之炕毯，及馬鞍褥子（多二五）等，年計可出二千四百方尺，實手工業中之最大特色。毛毡業者，五、臨、安，均有之，合計可出清水白毡約八九千方尺，價亦便宜，約一元可買二斤以上之成貨。毛鞋業亦頗發達，二十一年秋，因東省淪陷，在該地從事製毡靴鞋，土人稱為「嘪登凱」，有一家遷移五原，大為製造，獲利甚鉅。此種「嘪登凱」（概倣音（形如靴鞋，而不另加底子，多月立雪中，亦不覺寒，詢塞外珍品也。該業有技師四人，去年共實鞋靴六七千雙。每雙洋一元五六角或兩元不等；其他普通毡鞋，年可出萬雙，每雙洋七八角一元不等。

（八）磚瓦業　磚瓦業者，在河套殊少，計五原三窰、安北臨河各一二窰耳。其出品以磚爲多，瓦次之，其價磚每萬約八十元以上，瓦每千十元以上。

商業概況

河套商業，在民國十八九年以前，頗稱發達，茲分述之。一爲臨河及隆興長。一爲烏藍腦包。一臨河五原之糧行雜貨商，資本有多至二萬五千元，營業額有多至六萬元者。總計隆興長鎮及臨河縣糧行，營業總值達百萬元，其貨品及價格如左表。

糧食種類	銷售區域	銷售數量	銷售總值	批發價格	
				單位	價格
穀米	本地	五〇〇〇	一百萬元	石（二八〇斤）	十四元
糜米	本地	一六〇〇〇		石（三百斤）	十六元
炒（熟糜米）米	本地	一七〇〇		石（二三〇斤）	十元
麥粉	本地	四〇〇〇〇〇		百斤	八元五角
蕎面	本地	三四〇〇〇〇		百斤	七元五角
莜麥面	本地	三三〇〇〇〇		百斤	八元五角
豆粉	本地	一三〇〇〇〇		百斤	六元五角
胡麻油	本地	一六〇〇〇〇		元	六元半
燒酒	本地	一〇〇〇〇〇〇		元	四斤

上表所列，係大商號之營業，其他小商零售，無統計。至雜貨商營業總值達二百萬元，其中磚茶年銷二千六百五十八箱，值價一〇六〇〇〇元。水烟年銷一千三百箱，值價一〇四〇〇〇元。生烟年銷一千簍，值價七一〇〇〇元。紙烟銷數之價值，約四千餘元。紅糖白糖冰糖，年銷一千七百包，值價七五〇〇〇元。土布年銷二千捆，值價一一〇〇〇〇元。洋布年銷一萬七千疋，值價四八〇〇〇〇元。海菜銷量價

值·五八〇〇元。化裝品銷量價值，二〇〇〇〇元。蔴布年銷四百疋，值價一二〇〇〇元。毛布洋襪洋燭洋火柴之銷量共值價，二〇〇〇〇〇元。煤油年銷一千七百箱，值價一六八〇〇元。毛邊紙綢緞肥皂之銷量共值價，二〇〇〇〇元，此外，尚有藥材店，皮行、醬園、飯店、油房等字號四百餘家，年營業值，約近五六十萬元，其發達可見一斑矣。自十九年以還，粟賤傷農，經濟破產，頓呈衰落現象，如五原雜貨商之鴻業號，爲五原貨商冠，而今亦且倒閉，糧行日盛店，晉泰豫資本均二三萬元，亦以賠累而歇業焉。

烏蘭腦包爲通蒙要道，民十七八年以前，商業之盛，爲河套冠，其營業值，可與綏包相埒。其大商號有十八家，資本均四五萬元，年營業值，每家均在二三十萬元；其規模之大，均堪驚人，舖址有大至兩頃以上者，中爲櫃房，再外爲客房，再外爲貨房，再外爲倉庫，再外爲碾磨房，再外爲牲畜圈，層層建築，宏壯已極。除十八家大商號：天瑞德，廣生西，通興公，興盛和，德豐號，萬和長，同義恒，和義成，大盛興，永義恒，輻和長，乾豐號，德成泰，德和堂，廣生恒，天聚和，謙德源，萬興億外，尚有小商號四五十家，均經營蒙人之油酒米麪及一切布疋日用品雜貨，收買農人之牛馬絨毛皮張等業。蒙人重信而稍愚，故一般商利頗厚。自民二遭蒙匪之殃，民三郎恢復原狀；民六又受盧占魁之擾，旋亦復興；民十五國民軍退却，擾攘備至，數萬人馬集駐河套，爲鎮駐軍特多，是年麥豐收，各商號供國民軍之給養無算，而費亦不貲；據謂天瑞德一家，每月以十三架轆軸碾麥，悉數供給軍隊，直如此繼續三月有奇，食麥盡矣，軍隊亦開拔，而各商元氣亦大斲傷矣。嗣以中俄亂起，外蒙商路不通，生意毫無，迄二十年各蒙商均告倒閉矣。今茲所遺，僅無屋頂之廣大院落，供吾人追憶耳。

現今商業概況

（一）　五原　五原交通，較臨安爲便，商業亦最發達，自十五年五原商會，由烏蘭腦包移五原隆興長後，愈益繁榮，河套五臨兩縣人民所需，悉取給於此。蓋臨河無較大商業，多轉運五原貨物，茲分述五原商業概況於下：

城內　五原舊城爲縣政府所在地，住戶無多，商業亦僅小雜貨商，走購貨物於隆興長鎮，而零售之利，且倍於買價；住戶亦多，自赴隆鎮購取，不得已始少購買焉；而彼輩亦抱「三日不開市：開市頂三天」之心理，故直無商可言。計有小雜貨舖七家，資本多者百元而已。

鄉村　五原鄉村，多無商店，僅各區區公所所在地，及大鄉村有零售雜貨者，多屬措資三二十元，赴城購買零星日用品而售之，此外則僅有油房及缸房已也。

烏蘭腦包　烏鎮十五年前，商業繁盛，近年因外蒙不通，俱呈倒塌現象，大商號之存在者，僅德豐號一家矣。然亦僅維持現狀，坐吃山空。其他小字號，尚留三家，均係做前山韃子（即烏拉旗蒙人）買賣，前一二年（民十九二十）尚有前山蒙人，冬季來爲販貨，近以官捐太苛，每駝捐洋五角，遂足不前，各漢商近皆以車拉運油酒米麵，送入蒙界兜售，亦有設帳交易者，帳即蒙古包，蓋蒙入界內禁人造屋也；此種交易利頗薄，據此輩商人云：「前山韃子較漢人尤發」設索價少昂，彼等即遥赴包頭購買去矣：故利僅如甕背外蒙人之三分之一也。蓋前山韃子則供應之雖佳，亦必斤斤計較，故殊難收大利也。

隆興長　隆鎮商業，計分糧行，雜貨業，皮毛業，米麪業，藥材業，及其他飯館，靴鞋業，木店，肉舖，留人店，客棧等，以糧行雜貨業爲最著，皮行藥材業次之，茲分述如下：

糧行　糧行共五家，小磨坊兼營米麵業者，共二十餘家，資本多者二萬五千元，少者一千元，普通僅四千元。銷售貨品多本地產；外來者，僅大米一項，來自寧夏包頭，年銷六百石，每石價在五六十元。現本地糧食銷售量銳減，蓋近年粟賤傷農，包頭糧商，無來套訂購貨物者。茲錄其銷售量及價格如下：

糧品種類	年銷售額	每石價格	糧品種類	每石價格
糜米	八〇〇〇石	一·三四元	蕎麥	一·六八元
小麥	三〇〇〇石	六·四五元	莜麥	一·八九元
麥粉	一四〇〇〇〇斤	每元購三十斤	湖麻	七·七八元
穀子	二〇〇〇石	一·二五元	高粱	一·六五元

豌豆	一・八九元	燒酒	五〇〇〇〇〇斤	每元可購十五斤
雜豆	二・五六元	胡油	八〇〇〇〇斤	每元可購七斤

本業著名商號，為廣泉湧，大恒永，同義長，天恒永，聚義永等五家，此外尚有大恒茂等二十餘家。

雜貨行　雜物行共計二十五家，資本額最多兩萬元，最少五千元，普通一萬元，銷售貨物極雜，烟糖布疋日用品，無不俱備，貨物多購自包頭。茲表列其價格銷售量如下：

種類	採購區域	年銷總數量	銷售總價	批發價格 單位	批發價格 價格
24磚茶	包頭	二五〇〇箱	一一〇〇〇〇元	每箱（24塊）	四十四元
生烟	山西曲沃	一五〇〇簍	九四五〇〇元	每簍180包	六十三元
赤白糖	包頭	一〇〇〇包	三〇四〇〇〇元	每包一六〇斤	三十元零四角
64土布	仝上	二五〇〇捆	六〇〇〇〇元	每捆一二匹	二十四元
洋布	包頭	一〇〇〇捆	一一二〇〇〇元	每捆一六匹	一百一十二元
毛巾	仝上		二〇〇〇元	每塊	一角三分
洋襪	仝上		一三〇〇〇元	每雙	三角五分
洋火柴	仝上		一五〇〇〇元	每箱二四〇包	十元
煤油	仝上	一七〇〇箱	一五九八〇〇元	每箱（兩筩）	九元四角
毛透紙	仝上	二〇〇〇刀	四八〇〇元	每刀	二元五角
水烟	河南清華	一〇〇〇箱			

雜貨業著名字號，為福興西，恒興成，萬慶成，福義隆，德厚堂，裕興厚，福和隆，隆豐裕，德星明

，協記，福順永，馮桂，久記，義聚成，吉興和，復順西，昌富興，協聚厚，中和慶，全盛興，晉益祥，福和茂，瑞生永，久盛興，恒盛祥。此外有專營茶業者，曰義昌茶莊。專營紙烟業者，曰恒興西。其銷售烟茶，亦計入上列表內矣。

藥行　藥行九家，資本兩千元爲最多，普通僅千元。銷售貨品，以本地產藥材爲大宗，年營業總値約兩萬五六千元。

皮行　皮行計大小五十餘家，資本額最多兩萬元、普通三千元至五千元。銷售貨品以本地羊皮爲大宗年營業約値二十四五萬元。

此外有澡堂兩家，飯館五家，醬園六家，銅舖七八家，鐵舖十二家，靴鞋舖六家，連同其他小商販，總計加入商會者二百九十一家。

（二）臨河　米麵行：本縣米麵業十七家，年營業總値約二十五萬元。批發價格較五原略昂，營業總値，殊難統計。蓋五原雜貨商以售往臨河貨物者，爲數甚多也。

臨河縣屬有陝壩蠻會兩地，商業亦發達，其銷售貨品總値，可埒於臨河縣略之。

（三）安北　本縣商業殊寥落，營業額最多者，爲雜貨商店，而全縣亦惟雜商店一種，合米麵烟茶布疋日用品均售之。資本多者五百元，次者僅一二百元，全縣同釘鞋理髮各業合計約三十四五家。

金融及貨幣

（一）五原　五原無錢行銀號之設，僅有綏遠平市官錢局分局一所，以匯兌事宜及代替地方各機關匯解欵項爲主要業務。存放欵均無多，蓋本地放欵容易，收欵殊難也。前豐業銀行，曾設分行於五原，但以放欵拖欠難收，已撤消收束矣。本地所流通之貨幣，除銀幣外，有平票縣票兩種：平票爲平市官錢局所發行者，通行無阻；縣票爲地方發行之銅元票，以千枚作現洋一元；倡辦者爲五原縣長崔正春，因鑑於地方金融澀滯，粟賤傷農，地方財政，無法維持，遂以五萬額發行，但因不兌現，及濫發無度，一落千丈，無法維持；厥後趙縣長繼任，更落至一千枚左右，終以九百枚兌現，收拾殘局。

（二）臨河　臨河有平市官錢局支所一所，業務與五原同。貨幣週使硬幣與平票兩種，金融較穩定。

（三）安北　本縣無金融機關之設，縣府解款，須派人送往包頭，轉匯極感困難。貨幣週使，爲銀幣平票兩種，現設治局長齊壽康正設法請求總局設立派出所，以活動本縣金融云。

工商改建芻議

河套工商業，幼稚特甚，皆類改進扶植：茲述數事，以爲留意西北工商者之參証。

（一）籌設農產製造工廠　農業經濟之破產，原因雖多，而糧產滯銷，爲最大原因之一：故宜加以製造。按糜米，麥子，運銷維艱，若設廠製爲酒粉，則較易獲利也。

（二）廣設毛織廠　農家副產，套俗多業牧畜，故絨毛產量極多。然近年海運阻塞，毛價大跌，而一般提倡國貨者，服用毛布最多；故宜廣設毛廠，織布織衣，易原料輸出爲製品輸出，較有益於農民經濟也。

（三）籌設農工銀行　河套農民經濟極感枯澀，利高五分，貸借無門，雖爲一般農民信用譾薄，而無抵押貸款銀行，亦一原因也。故宜籌設以地畝糧產爲抵押之貸款銀行，一以培彼信用，一以週轉經濟，西北前途之開發，與有賴也。

（四）確立信用制度　河套商業，率多欺詐，尚未有充分信用制度之運用，故商賈週轉，亦極困難，資本效用，因以銳減。故言河套商業者，必以確立信用制度爲前提。此在一般商人之覺悟與社會之匡助也。

第五篇　物產

物產種類

河套物產富饒，爲近西北最，沃野千里，農產之豐勿論矣；平原無垠，天然牧場，畜產亦極可觀；第以渠道未闢，地棄其利，牧業又墨守成法，不知改進，致生產量日減一日；倘能以科學方法改良之，開發之，則固匪僅解决近西北之需用已也。他若礦產有煤炭，石棉等；未採者，有水晶，黑礬等。藥材產有黨參、黄芪、蓯蓉、大黄、甘草、鎖陽、山豆根、黄芩、防風、柴胡、車前子等。林產有松、柏、楊、柳、樺等。水產有鯉魚，鯽魚。工藝品有栽絨毯、毛毡、毛布、皮衣、皮革。生產之多，不可勝數，惜均以不加改良，未臻發達；甚且困於愚昧，坐棄其利，殊可慨矣。茲略以農產、畜產、礦產、藥材產、林產、水產、工藝品，分別述之。

農產

河套賴黄河天然之利，土沃物豐，爲一大米粮川。茲就三縣分述其產量如下：

（一）五原　五原年產糜子三六七四〇石，䒷豆二一七五〇石，小麥五〇五〇石，穀子五二五〇石，蕎麻四七〇〇石，高粱一四〇〇石，大麥七三〇〇石，黍子七〇〇石，雜豆五〇六五石。

以上所述，均據二十一年社會教育所之調查，經記者復據當地熟稔農事之紳耆所更正而填者。糜子一頃，該所調查所得爲一五五〇〇石，小麥一頃，爲五〇〇〇石，雜豆一頃，爲一〇〇六五石，而未專列豌豆一項；然五原所產糜子，决非僅止此數，五臨實查員調查所得，與上表數字相同。另據十七八年之調查，五原產糜子五〇〇〇〇石，邇來河套人口銳减（見庶政篇人口節）粮產銳减亦適如之。於茲亦可見河套農業衰頹之一斑矣。

河套年來，粮價慘跌，且不易出脫，今以現今粮價計之，五原粮產總值當如下表：

產物名稱	年產總額（石）	每石價格（元）	年產總值（元）	附記
糜子	三六七四〇	二·五	八一八五〇	
小麥	五〇五〇	六·四五	三二五七二·五	
豌豆	二一七五〇	一·八九	四一一〇七·五	

高粱	一四〇〇	一・五六	二一八四
穀子	五二五〇	一・二三	六四五七・五
葫麻	四七〇〇	七・七八	三六五六六
大麥	七三〇〇	二・八九	二一〇九七
黍子	七〇〇	一・六七	一一六九
雜豆	五〇六五	二・五六	一二九六六・四
莜麥	一四〇〇	一・七	二三八〇
瓜子	一〇〇〇	九・	九〇〇〇
合計	糧產總值		二四七二四九・九元

近年來糧產均無出路，而瓜子價殊昂，且銷售亦易，故種殖者較多。第此項產品，費工殊甚，係一種投機生產，今年價昂，明年種者特多，多則價貶，價貶則種者又少矣。故產量殊無一定。上表所列，概數也。

（二）臨河　臨河年產糜子五二〇〇〇石，小麥一〇一五〇〇石，豌豆一八五〇〇石，雜豆五三〇〇石，葫麻八四〇〇〇石，穀子三二〇〇〇石，莜麥一〇〇〇〇石。以現今糧價計算，臨河年產糧總值當為三三八〇九七元，列表如下：

產物名稱	年產總額（石）	每石價格（元）	年產總值（元）	附記
糜子	五二〇〇〇	一・三	六七六〇〇	
小麥	一〇一五〇〇	六・三九	六〇八五八五	
豌豆	一八五〇〇	一・八	三三三〇〇	
雜豆	五三〇〇	二・五	一三二五〇	

蔴麻	八四〇〇	七・八	六五五二〇
穀子	三二〇〇	一・二	一三八四〇
莜麥	三〇〇	一・八九	五六七
瓜子	一〇〇〇	八・九五	八九五〇

合計糧產總值　八五一六一二元

（三）安北　安北年產糜子三六九〇〇石，小麥六五五〇石，大麥二六二〇石，穀子五六二〇石，莜麥七〇〇〇石，蕎麥一〇〇〇石，高粱七〇〇石，蔴麻七〇〇石，雜豆六二〇石。以現今糧價計之，安北年產糧總值，當為一三六六四二元，列表如下：

產物名稱	年產總額（石）	每石價格（元）	年產總值（元）	附記
糜子	三六九〇〇	一・二	四四二八〇	
小麥	六五五〇	六・二	四〇六一〇	
大麥	二六〇二	二・五	六九五〇	
穀子	五六二〇	一・一	七一八二〇	
莜麥	七〇〇〇	一・七	一一九〇〇	
蕎麥	一〇〇〇	一・六	一六〇〇	
高粱	七〇〇	一・五	一〇五〇	
蔴麻	七〇〇	六・六	四六二〇	
雜豆	六二〇	二・五	一五五〇	
合計			一八四三八二元	

合計河套糧產總額，年產糜子，一二五六四〇石。小麥，一一三一〇〇石。大麥，九九二〇石。豌豆，四〇二五〇石。胡麻，一三八〇〇石。穀子，一四〇七五〇石。莜麥，九七〇〇石。其他雜糧，一五七八五石。合計三四二二六五石。河套糧產總值爲，五原縣，二四七二四九·九元。臨河縣，八五一六一二元。安北設治局，一八四三八〇元·合計，一二八三二四一·九元。

五原臨河安北三縣局之各農村，多有小規模之榨油燒酒業，係農民之副產，確數無稽，其概況見本書農業篇。

畜產

河套畜產，可略分牲畜，皮毛二種，無經營角骨業者。茲就三縣局分述之如左：

（一）五原　年產羊，六〇〇〇二隻。驢，五六〇〇頭。牛，一二四七八頭。猪，六四三〇口。馬，三一五〇匹。鷄，三四〇〇隻。騾，一〇〇八頭。駝，一三〇九隻。復據綏遠社會教育所之調查·其數字爲羊，一一五〇〇隻。驢，一六〇〇頭。牛，二五〇〇頭。猪，六四三〇口。馬，九〇〇〇匹。鷄，三四〇〇隻。騾，二八八頭。駝，三四七隻。

按五原年征牲畜捐，其捐率爲羊每隻六分，牛馬駝每隻六角，驢每隻三角，二十二年度共徵得一萬二千餘元，其畜產盼數，應以記者所得較準確，以該所數字計，則僅征三千六百零七元，相差殊甚，且計征牲畜捐，貪賄偷漏，在所不免，故實或將超過記者所列數字以上也。

每年皮毛產量，爲羊皮，一五〇〇〇張。羊毛，一二〇〇〇〇斤。牛皮，二〇〇〇張。牛毛，一五〇〇〇斤。馬皮，一二一〇張。駝毛，七八〇〇〇斤。騾驢皮，一二〇〇張。猪毛，一八〇〇〇斤。狐皮，五〇〇張。羊腸、一五〇〇〇條。羔皮，一三〇〇〇張，狼皮，一〇〇張。狗皮，三〇〇〇張。兔皮，五〇〇〇〇張。

（二）臨河　臨河年產羊，九〇〇五〇隻。馬，一七四〇〇匹。驢，二一八三〇頭。牛，一八五九〇頭。駝，五〇〇〇頭。

皮毛產量，爲牛皮，二〇〇〇張。羊毛，一四五〇〇〇斤。羊皮，三〇〇〇〇張。羊絨，四〇〇〇〇斤。羔皮，三〇〇〇張。駝毛，五〇〇〇〇斤。騾馬皮，三〇〇張。羊腸，一〇〇〇〇條。狐皮，七〇〇張。狼皮，一〇〇張。

（三）安北　安北年產馬，九〇〇〇匹。駝、二五〇〇隻。羊、七二〇〇〇隻。猪，八〇〇〇口。牛，一四九七二頭。雞，五〇〇〇〇隻。騾，一〇〇〇頭。青山羊，四八〇〇隻。驢，十〇〇頭。盤羊，一二〇〇隻。

皮毛產量爲羊皮，二〇〇〇〇張。羊毛，一五〇〇〇〇斤。羔皮一〇〇〇〇張。牛毛，五〇〇〇斤。牛皮，一〇〇〇張。羊絨，四〇〇〇斤。青山羊皮，一二〇〇張。駝毛，一八〇〇〇斤。狐皮，一〇〇〇張。狼皮，一〇〇〇張。貓皮，二〇〇張。掃雪皮，一〇〇張。狸皮，一〇〇張。

礦產

（一）五原　五原縣境內之狼山山脈萬和長山內產煤，質殊劣，既不易燃火，復不經久，中含鉛質約百分之七八十，礦層係水成岩層，十八年春，由縣紳張文卿田喜亭等，合資着手開採，二十年始行採出，純以土法開挖，窰工四五十人，日可出煤三十七噸，年出一萬三千三百二十噸。烏蘭腦包北烏補勒山口子，亦產煤，質亦欠佳，以土法開掘，年可得煤二百八十八萬斤。

（二）臨河　臨河縣屬之狼山溝產煤，礦區約千餘畝，估計儲量約一千萬噸。現有土窰一座，年出煤十萬斤。又據前此調查，狼山溝尚有玉石、水晶、石綿等礦苗，但俱未開採，深可慨也。

（三）安北　安北後口子產石棉，年約私採二萬斤。拴馬樁，烏蘭忽洞兩地，均產無烟煤，礦區面積，各約一百四十方里。西官井，東官井，營盤溝什那干等地，均產烟煤，礦區面積，各在一百六十方里至一百八十方里間。總計安北境內無煙煤年產六百萬斤；煙煤年產三千萬斤：合計三千六百萬斤。無煙煤每千斤値洋一元，煙煤每五百斤値洋一元，除本縣銷售外，包頭、固陽，五原，臨河等處，均有大車及駱駝販運。上述各礦區，均由漠南公司開採，該公司係商辦，有限股分公司，總公司設包頭，各窰均有工人二三十人，以土法開採，每人每日可挖二千五百斤；現該公司已因經理不善、資金不足而自就衰頹矣，檢馬樁有土窯一座，係安北金耆勳等合資開設，營業較濮南公司略勝一籌，惟各窯均以法子太笨，難望有長足發展也。

藥材產

河套三縣，均產藥材，中以安北烏拉山、產藥多而且旹，惜以蒙人故步自封，嚴禁採擷，致產量殊尠。茲將三縣藥產量分述如下：

（一）五原　五原年產甘草，四〇〇〇〇〇斤、黃芩，四〇〇〇〇斤，鎖陽，五〇〇〇〇〇斤，大黃，五〇〇〇〇斤，銀柴胡，三〇〇〇〇斤、車前子，五〇〇〇斤，防風，六八〇〇〇斤，均運銷於本地及河北省。

（二）臨河　臨河產甘草，五〇〇〇〇斤，蓯蓉，三〇〇〇〇斤，鎖陽一〇〇〇〇斤，均運銷於本地及河北省。

【附記】　蓯蓉產於王爺地，現為蒙王禁止採藥，產量驟減；但土人多竊採之。

（三）安北　安北第一區為拉山，年產黨參、九〇〇斤、黃芪，二〇〇〇斤，蓯蓉，四六〇〇斤，柴胡，五〇〇〇斤。第一二三區，年產甘草，一三〇〇〇〇斤，產量多而價賤，故近年採者甚少，大黃，四〇〇〇斤，第一區年產鎖陽，三三〇〇〇斤，山豆根，一二〇〇斤。

【附記】　各項藥材，為蒙人禁止，但土人多採取之。

木材產

河套各縣，荒野無垠，林木甚少，茲據調查所得三縣產量如下：

（一）五原　有楊樹，四八〇〇株，柳樹，五一五〇株，材樹，一三〇株。

（二）臨河　有楊樹，一五三〇〇株，柳樹、五三〇〇株，榆樹一四五〇〇株。

（三）安北　安北為拉山，為天然林產區，綿亙四百餘里，佳木葱翠，惟地為蒙人所轄，禁止採伐。近年安北所產，計有松樹，三〇〇〇株，柏樹，一二〇〇株，榆樹，四〇〇〇株，楊樹，五八〇〇株、柳樹，四〇〇〇株，樺樹，四〇〇〇株。

水產

水產之足述者，爲黃河鯉魚，馳名全國，膾炙人口，而尤以開河鯉爲最甘芳；其產量殊夥，計五原年產一二五〇〇〇斤，臨河產一三〇〇〇〇斤，安北產六〇〇〇〇斤此外水產甚少，惟安北年可產鯽魚二四〇〇〇斤已耳。

工藝品

河套無工業可言，卽手工業亦極幼稚，茲就三縣分述之。

（一）五原　本縣有毛織工廠一處，爲縣建設局所立，僅有木機兩架，機師二人，所織毛布，可染各色，現一般服之者殊多，質堅工粗，有如細麻袋，惟成立未久，尚不十分發達。此外毛毯業約八九家，年可出栽絨毯，二千四百方尺，每方尺價洋一元二角。毛氈業約二十餘家，年可出清水白氈四千八百方尺。毛罩業者亦二十家，年可產毛罩一千五百條。毛口袋年可產二千條。氈帽年可產三千頂，氈鞋年可出六千雙。皮衣年可出一千件。皮褥年可出一千五百條。

（二）臨河　本縣亦有栽絨毛毯諸業，但多爲家庭工業，每年出產量，爲數甚少，無確數可記；惟約略言之，可有五原五分之二。

（三）安北　本縣工藝品，無可足述者，僅年產毛毯二千四百方尺，毛氈四千方尺，毛口袋千餘條而已。

其他物產

河套除上述產物外，尚有麻、芨芨、紅柳等出產，計全套每年可產線麻約三十萬斤，花麻約三萬斤，芨芨約三千萬斤，紅柳約一千萬斤，紅柳、芨芨多供本地作燃料，及編羅筐之用，無向外銷售者。又芨芨亦名雉雞草，係草本植物，高可丈餘，與紅柳均叢生於野，一望數十里，極目無涯，中多產雉雞，故又名雉雞草・雉雞。兔子爲河套野產，每年產量頗大，而確數難稽。人有自河套歸者，冬季必以雉雞，鯉魚爲饋贈品，蓋味殊甘而價極廉也。

第六篇　水利

沿革

河套雨澤甚少，農田所恃，厥爲渠道，澆水則膏腴，不澆則石田坐瞙，故土人有「不靠天吃飯」之諺。孜初來套者，僅打漁之漢人，偶於近河處以桔槔取水澆田，試行種植，大適其利，於是來者日衆。道光三十年，河溢北岸，決成一河，名曰塔布河，其水自行地中，所過之地，盡成膏腴，於是墾殖者接踵而至，甫來套中卽議開渠，渠各私有，一渠之成，往往需時數十年，耗款數十萬，如甄玉，侯應奎，郭敏修，王同春輩，父子相代，親友共營，持以毅力，卒開成大幹渠九道（後決一道）小幹渠二十餘道，又每歲須深浚其身，厚培其岸，始得灌田千百頃，功程偉大，經營實匪易易也。迨光緒二十九年，貽谷奉命督辦墾務，因水利與墾務休戚相關，除將私墾地統歸官放，兼謀渠務之發展；各地戶知地既歸公，渠亦難爲私有，乃先後將自挖各渠，呈請報效；貽谷派員勘收後，加寬加深，疏浚暢流，又添挖支渠，於是河套水利，蔚然大觀矣。至民九渠道經營失宜，議者謂爲散戶承保責任不專之咎，於是綏遠都統蔡成勳部第一師長楊以來，假灌田公社名義，統包八渠永租地，殺至十一年，租款欠至十餘萬元，渠亦將歸湮廢；於是五原紳耆呈請整頓，經由綏遠墾務總辦收回，改租與五原人士合組之匯源水利公司及興農社；十二年設水利總局於包頭，然遠地遙轄，終無改進也。十七年裁水利總局，由墾務總局兼理；二月墾務總局召開水利會議，決定所有渠道，各歸地方人合組水利公社，自行經理，由墾務總局及地方官督飭辦理，將墾務總局之渠利科，長川駐五；十八年改渠利科爲包西各渠水利管理局，直隸綏遠建設廳。同年四月，由建廳向山西省銀行，借晉鈔十四萬，專資修渠之需，各渠始略見起色矣。

渠務管理之組織

渠道之經理，各歸各水利公社，而由水利管理局督飭之。水利管理局設局長一人，文牘會計各一人，管理渠道委員六人，技師一人，各渠水利社設經理副經理各一人，文書會計司賬渠頭各一人，經理由民戶票選，呈局轉請建廳加委。每二年改選一次，其他由經理聘用，此外又票選董事五人至九人，組董事會，爲諮詢監察機關，此渠務管理之大略也。

渠務管理之經費

各渠經費，可分經常費與工程費二項；各渠經常費用，由各渠所屬糧地、召廟地，戶口地，未墾地，移民地，學田實業基金地，永租地等地戶，按照每年夏秋間勘丈青苗地畝數目，平均担負，每頃年納五元，其半數充水利管理局經費，半充該渠水利社經費，有不敷時，呈廳籌措，其有雖俗澆水而無青苗者，亦免交此欵。工程費用，分歲修特別兩種：歲修費每頃年納七元，其籌法與上述同，此欵有餘則存放，不敷則呈廳核辦。特別修渠之工程，除隨時受水利管理局之監督外，須由管理局轉呈建廳核辦，費用水利社商同本渠民戶籌墊之，年內由青苗地攤還。上述各項費用，統由水利社征收，而管理局協催之。

灌溉情形與澆水通例

黄河水之漲落，在河套有一定季節，河水高漲，方可入渠澆地，是以水因氣節而分類，地亦以能否常年澆溉或僅某季能澆溉而異其價値。河水高漲季，普通分六期，列表如下：

河水類別	高漲季節	高漲天數 最長	高漲天數 中常	高漲天數 最短
春水	清明前	十天	七天	三天
桃花水	谷雨前後	十五天	十天	七天
熱水	立夏前後	三十天	十五天	十天
伏水	夏至——立秋	四十五天	三十天	二十天

秋水	立秋——霜降	六十天	四十天	三十天
冬水	立冬前後	十天	六天	四天

水以伏水爲最佳，今年伏汛澆過，至秋將餘水放出收凍，次年地氣一開，酥如鷄糞，僅耙一次，即可播種撒籽，此種地可種麥、莜麥、豌豆、工力省而收獲多，爲最好。秋水亦可澆地收凍，惟水質較伏水爲次，可種糜子，高粱，胡麻，菜蔬黍子蠶豆扁豆等。桃花水可種糜子。熱水可種小麥糜子山葯。春水，無人肯用，因水質帶鹼性之故。冬水亦然。惟冬水上結厚冰，用以拉渠，勝於修挖。農事均有定時，青苗缺水則死，故澆水先後，關係收獲甚鉅；狡猾之徒，或則私自放水，或設閘激水，故有澆水定章，章由管理局與各渠水利社以各渠情形而定，其通例有如建設所頒之管理包西各渠水利章程，第十條所規定者。各渠澆水章程，由管理局會同各公社分別各渠實地情形及習慣斟酌規定呈核實行，其大綱如左：

（1）各渠澆水辦法，以使各渠民戶得享平均的水利爲原則。

（2）各渠向係平口，各民戶不得築閘填，倘非閘填不能澆地者，必須事先察看水勢，商允許准，但以不妨他人水利爲限度。

（3）各渠澆使春熱伏秋冬等水，應分別照向章習慣，口輪梢，梢輪口，依次輪流澆水，不得紊亂。

（4）各渠之水，須先儘青苗地澆灌，俟澆畢方准依次輪澆其他未種各地。

（5）各渠之水有餘，照舊例彼此代澆，以收互助之益，但絕對的禁止私擅賣放。

（6）各渠使水，須限以一定之次序及日期，不得逾越，或私自開放渠口。

排渠工作概況

河套各渠，每歲須修挖，蓋河水混濁，而各渠又多不暢，水挾泥沙，淤滯渠道，故必年修而後可也。普通排渠工作，冬季多在壕圪梁上，有水區域，則多在陽曆五月左右，排渠時將渠分作若干段，每段長約六七十丈，派工人一班，約六十人，而設工頭、測丈夫、司賬、廚夫等，由水利公社派人監督修理；

排掘工程，有土坑土方之別：土坑者，係濬深之謂；土方者，係築高之謂。又有背坑、半背半丟，全丟之別；背坑者，完全用斗（謂之背斗）背土于渠背；半背半丟者，先用鍬撥土于渠之旱台，再用斗背之；全丟者，僅用鍬掀土于渠外。工價按土方計算，每一百立方尺爲一方（即是方一丈深一尺）需工價大洋約三角，並由社務給每人每日小米一升及皮烟火柴等，俟工竣後，由工價內扣除買價；但通常此等烟茶價洋一角，則扣除工價或將三角，此肥則由水利社經理吞食，而分肥於社內同人及工頭等，積久成習而亦未易改除；倘不由此等位居資產階級之經理經理渠工，則此項烟茶油米之熱發，爲數甚鉅，頗難負担得起也。

渠道概況

渠道有幹渠，枝渠，子渠之別，以幹通枝，以枝通子，勢成一局。幹者，其渠口密接黃河，係全渠之主流；其于主流枝出者爲枝渠，由枝旁出者爲子渠；是以渠道之利，首在幹之暢流，而幹之能否暢流，實關地勢渠工退水等問題甚大。

河套地勢，未經科學勘測，昔人開渠，多靠經驗與估計，以定渠道之走向；且河身在南，勢須就南引水，是以今日各渠皆自南趨北，或自西南趨東北，然此種情形，實未可遽謂地勢必如是也。河套地面斜度，係自西傾東、自北傾南，五原以東，則中低而南北稍高，東南方面，亦漸遠漸高，以迄烏拉山山麓；故各渠水流，自口至梢，係逆勢上行，水之入渠，全賴水流擁擠之力，有如海潮擁擠之入於江河，固非順地勢引導也。各渠之身，因就水性下流灌溉田地之故，必擇地勢較高之地；然全渠經流地域既廣，延長或至百里，則難擇適宜地段；若過於灣曲以就地勢，則引水之勢雖順，而用水一有不慎，則立有決口之患；若渠身中段稍低，亦易泛濫，謂之腰獻，故渠背務須加厚，方克有濟。渠身之長寬深度因渠而異，惟均須有一定比例，蓋渠長，則澆地用水多，渠身亦當稍寬，使水流可以擁擠達梢。至於深度，尤須就全渠地勢爲比例，測準坡度，方可免淤塞不通或泛濫四溢也。渠背之闊狹，各渠多無一定，兩岸之建造方法，普通只用泥土堆砌，亦有以荊棘根合土爲之、以防水之衝刷者。各渠引水之方法，有用「倒漾水」者，即渠口並不直接河身，而係背流東向。俟河水經過迴流一次，然後入渠是也。有用「套水」者，即就水流屈曲之處開口，則河水不至太大，便於引導是也。亦有用迎水壩迎阻水流使倒擠入渠者也。大都因渠而異，各有利弊。用倒漾水者，可免填塞之弊；若河水暴漲，則不免仍有閉塞。用套水者，原係恐河水太大，不克引導，然黃河水流，常時遷徙，渠口難常適用；且河水低落，則引水亦殊困難。用壩阻水者，較合科學原理；然築壩於河，殊屬困難；壩後流緩沙沉，易成淤灘，現今永濟渠用倒深水，長濟設迎水壩，因永濟渠口位於上游，水勢較旺，愈東則水位愈低，如義和通濟諸渠，來源既下，不能挽之使上，再東至於長濟，水位更低，非設迎水壩，不能引水矣。至於退水問題，各渠自有退水道者甚少，各大渠多係黃河故道五加河為尾閭，故五加河不啻各渠之總幹，但五加河多半淤塞，下游並已淤斷，不復與大河通；近年改革包西水利之議，多提及修濬五加河，其目的或係以五加河為總退水渠，而以現在各渠為支流，使渠水沿今日各渠，注於大河；或則仍以五加河為退水路，而特注重退水之迅捷，期可以補救今日渠道淤塞之弊。

河套幹渠較大者有十一：曰永濟、剛濟、豐濟、沙河、義和、通濟、長濟、塔布、黃土拉亥、楊家河、民復，除楊家河之外，十幹渠盡屬公有，各組水利公社。（剛濟無獨立之水利社　由永濟社兼營）其概況如左表：

項別 / 渠別	在某縣境	長度（里）	平均寬度（丈）	平均深度（尺）	灌溉面積（頃） 澇年 總數	澇年 每里灌域	常年 總數	常年 每里灌域	旱年 總數	旱年 每里灌域
永濟	臨	150	8	6	6000	40	3000	20	1000	6.67
剛濟	臨	130	3	3	500	3.85	300	2.31	100	0.77

十一大渠外，所有各小渠，盡屬私有。其概况如左表：

包西各渠水利管理局所轄私有各幹渠情况一覽表

項別／渠別	地點			長度（里）	平均寬度（丈）	平均深度（尺）	灌溉面積（頃）總數		每里澆域
豐濟	臨五	73	4	4	2000	27,4	1000	13,70	500	6,85
沙河	五	83	4	4	1500	18,07	600	7,23	200	2,41
義和	五	90	4	4	2000	22,22	1000	11,11	300	3,33
通濟	五安	114	3	3	1200	10,53	500	4,38	200	1,75
長濟	五安	130	3	4	1500	11,54	800	6,15	350	2,69
塔布	五安	120	3	3	1200	10	500	4,17	150	1,25
黃土拉亥	臨	145	4	3	5000	34,48	2500	17,24	1000	6,9
楊家河	臨	160	5	4	4000	25	2500	15,63	600	3,75
民復	安	55	2	3	800	14,54	450	8,18	250	4,54

三大股	臨、千古廟灘	20	20	30	200	10,00
色爾宿亥	臨、永濟渠西	20	10	20	100	5,00
藍鎖	臨、藍鎖地	50	20	30	1000	20,00
秀華堂	臨、永濟渠口東	10	10	20	50	5,00
魏羊	臨、魏羊地	10	10	20	100	10,00
強家	臨、強油房	20	20	30	100	5,00
天德源	臨、張家廟灘	30	10	20	100	3,33
土味地	臨、土味地	30	20	30	500	16,67
馬廠地	臨、土味地東	8	20	30	30	3,75
戶口地	臨、土味地東	8	10	20	30	3,75
德成	臨、張家廟灘	20	10	20	100	5,00
泰厚生	臨、劉三地	20	20	30	100	5,00
同興德	臨、麻迷兔東	20	10	20	50	2,50

長青牛	臨、麻迷兔東	10	10	20	10	1.00
廠汗淖	臨、廠汗淖	10	10	20	10	1.00
舊皂火	五、常興堂十拉特拉一帶	40	20	30	100	2.50
新皂火	仝上	50	20	30	200	4.00
熊萬庫	臨、大喳子一帶	20	10	20	30	1.50
貴	五、郞家地一帶	30	20	30	100	3.33
存厚堂	五、郞家地	10	10	20	200	20.0
哈拉烏素	五、哈拉烏素	10	10	20	100	10.0
阿善	五、阿善地	20	20	20	100	5.00
十大股	五、阿善渠東	10	10	20	30	3.00
同興堂	五、同興堂地	10	10	20	50	5.00
李樹林	五、梅林圪卜	10	10	20	50	5.00
合少公中	安、合少公中達旗地	40	20	20	100	2.50

杭蓋	安、壕渠一帶杭蓋地	20	10	20	50	2,50
吳祥	安、七蓋王幼女子地一帶	20	10	20	50	2,50
王留子壕	安、西山咀	20	60	50	1000	50,00
烏加河各斧渠退水	沿狼山入烏梁素海子	10	20	40	100	10,00

綏遠包西各渠水利管理局歷年丈青實地總數比較表

年別	永租地	水租經費地	總數	增	減	
民國十四年份	二千頃	三千一百三十四頃二十五畝八分三厘	五千一百三十四頃二十五畝八分三厘			查十四年以前勘丈地數總務總局無案可稽本年水租仍按以前商包確定數核收自十四年秋後經包西水利總局將八幹渠收歸官轄各私渠經費統一事權
十五年份	八百三十五頃一十三畝八分五厘	三千零七頃五十八畝一分五厘	三千八百四十二頃七十二畝		較上年減一千二百九十一頃五十三畝八分三厘	

十六年份	六百五十一頃七十四畝三分四厘	五千零五十八頃五十二畝三分二厘	五千七百一十頃零二十六畝六分六厘	較上年增一千八百六十七頃五十四畝六分六厘		查本年增數因黃土拉亥渠三湖灣中灘各渠收歸官有故多勘丈一千八百餘頃
十七年份	八百零四頃二十一畝九分六厘	四千六百五十八頃五十四畝零八厘	五千四百六十二頃七十六畝零四厘		較上年減二百四十七頃五十畝零六分二厘	由本年份各社設立水利公社以官督民修上半年由總務總局渠利科管轄下半年改歸總務五分局兼辦
十八年份	七百零四頃五十三畝二分七厘	六千七百四十五頃七十九畝四分一厘	七千四百五十頃零三十二畝六分八厘	較上年增一千九百八十七頃五十六畝六分四厘		成立水利管理局各社即歸水利局管理
十九年份	八百三十頃零六十二畝四分	七千二百二十七頃六十六畝四分六厘	八千零五十八頃二十八畝八分六厘	較上年增六百零七頃九十六畝一分八厘		
二十年份	八百九十四頃六十七畝零五厘	七千五百七十五頃五十七畝六分八厘	八千四百七十二頃十四畝七分三厘	較上年增四百一十一頃九十五畝八分七厘		
二十一年份	三百零四頃二十七畝三分五厘	六千五百七十頃零二十七畝四分六厘	六千八百七十四頃五十四畝八分一厘		較上年減一千五百九十五頃六十九畝九分二厘	

公有各渠概況

（一）永濟渠　永濟原名纏金渠，係地商永盛興，錦和成等，于道光五年間，自黃河起，東北行，經五大股、臨河城西、李三渡口、公中廟、至五加河止，幹渠長百五十里，共有枝渠六道：曰樂善堂渠，西大渠（亦名永字渠）中枝渠（亦名遠字渠），舊東渠（亦名流字渠），新東渠，東梢渠。樂善堂渠，長約四千八百丈。西大渠，長約三千三百丈。中枝渠，長約四千三百丈。舊東渠，長八千八百丈。新東渠，長六千二百丈。東梢渠長六千丈。幹渠自口至樂善堂渠，長約百里，寬十二三丈，深一丈餘。樂善堂渠以下，寬七八丈，深亦及丈。在發公以下，寬四五丈，深四五尺。渠口在背流東向處，故經迴流一次，水方可入渠，俗稱「倒漾水」。渠身上游坡度適中，故少東堤西陷之患，兩岸堤堰不高，隨處可開枝渠。樂善渠口以下，枝渠加多，正渠之水量少，故渠身亦量小。至于公中廟，渠腰太軟，時有決口之虞，遍野蘆塘，蓋其地爲山東移民社及實業基金地，無人切實經營故也。過公中廟後，渠身仍屈曲得勢；下至新東舊東分流處，渠水高而地低，水流漫溢，亦多遺患。正梢自高同世橋以達五加河一段，淤塞處頗多，退水困難。按後套各渠中，以永濟爲容量最大，水勢最旺，或謂每歲可灌田二萬頃，但現今灌溉所及者，不過六千頃；供過于需，故氾濫也。近年剛濟上游不暢，因增設枝渠與永濟溝通，此項枝渠名（一）永盛和渠（二）永剛渠（三）新永剛渠。

（二）　剛濟渠　剛濟渠原爲地商賀清開濬，股分衆多，枝渠林立，渠身長可百三十里。自黄河起，經劉三地，活玉子橋，三份口，爲舊賈圪素，復隆昌、色蓋、以達烏搿古琴出梢。有新舊二口，均曾由王同春經營。枝渠凡十餘道1永盛和2張存梅3高士均4周大存娃5張樞林6陳雙中7永厚成8烏槐補隆9同元成10李萬福11韓鉞12呂三13白言太14王步來15康福祥，長者五千餘丈，短者千餘丈，各有子渠。然幹渠上游，曲折甚多，水流經若干沙山，以達平地，凡七十里，方能灌地；而流量原即不大，行數十里，即難上水；且地高水低，故上游實無存在之價值，自十一二年以來，漸行湮廢，近歸永濟社管理，引永濟餘水，以溝通下游，始略見水利。

（三）　豐濟渠　豐濟渠乃清光緒年間地商王同春、韓鉞等合資開挖，計費銀七萬餘兩，由黄家灣開口，引黄河水，東北流經劉三地、天吉太橋、馮廠地、夾拉水道、白來圪卜、五分子橋、協成橋等處，入五加河，計長九十里，口寬六丈，深八尺，梢寬二丈七八尺，深四尺餘，大小枝渠凡二十三。

綏遠五原縣豐濟渠水利公社所屬兩面各枝渠調查表 二十一年七月填

名稱	修築之時間及工欵來源額數	長寬深淺及其流量之大小	所灌村落	枝渠數目	備考
渠東元會辦渠	前清宣統元年自行墊欵約計千餘元	長九百丈寬八尺深三尺流量足用	五原二十四村	第一支渠	
渠東交界渠	民國十八年自行墊欵約計千餘元	長一千二百丈寬一丈深三尺流量足	五原二十三村	第二支渠	
渠東勞桃氣渠	仝上	長九百丈寬八尺深三尺流量足	仝上	第三支渠	
渠東察汗淖渠	民國十六年自行墊欵約計二千餘元	長一千八百丈寬八尺深二尺流量足	五原十九村	第四支渠	
渠東楊二禿渠	民國十四年自行墊欵約計四千餘元	長三千六百丈寬一丈二尺深三尺流量足	仝上	第五支渠	
渠東刀浪亾渠	民國十八年由社墊欵約計九百餘元	長二千四百丈寬丈二尺深三尺流量足	五原二十三村	第六支渠	
渠東改閣淖渠	民國十五年自行墊欵二千餘元	仝上	仝上	第七支渠	
渠東桃兒虎渠	前清宣統二年自行墊欵約計七千餘元	長五千四百丈寬一丈六尺深三尺流量足	仝上	第八支渠	
渠東五分子渠	民國十九年自行墊欵約計千餘元	長九百丈寬六尺深三尺流量足	仝上	第九支渠	
渠東十八圪兔渠	民國八年自行墊欵一萬五千元	長一萬八千丈寬二丈四尺深四尺流量足	五原六八二十二村	第十支渠	
渠東鐵馬什拉渠	民國十七年由公私各半墊欵七百餘元	長一千八百丈寬一丈深三尺流量足	五原二十三村	第十一支渠	

東渠 公中渠	民國八年自行籌欵約計千餘元	長九百丈寬八尺深二尺流量足	五原二十二村	第十二支渠	
東渠 銀定兔渠	前清宣統元年自行籌欵約計七千餘元	長五千四百丈寬一丈六尺深四尺流量足	仝上	第十三支渠	
東渠 安飾爺渠	民國十七年由公私各半籌欵約計一千餘元	長一千二百丈寬一丈深三尺流量足	仝上	第十四支渠	
東渠 秦七圪旦渠	民國十年自行籌欵約計千餘元	長九百丈寬八尺深三尺流量足	仝上	第十五支渠	
西渠 察汗包渠	民國十四年自行籌欵約計千餘元	長一千二百丈寬八尺深二尺流量足	臨河洋行地	第十六支渠	
西渠 二合永渠	民國十六年自行籌欵約計一千六百餘元	長一千四百丈寬八尺深三尺流量足	五原二十三村	第十七支渠	
西渠 甲浪水道渠	民國十六年自行籌欵約計八九百元	長七百丈寬八尺深三尺流量足	仝上	第十八支渠	
西渠 馬嫩地渠	民國十六年自行籌欵約計二千餘元	長一千八百丈寬八尺深三尺流量足	仝上	第十九支渠	
西渠 白來渠	民國十六年自行籌欵約計千餘元	長九百丈寬八尺深三尺流量足	仝上	第二十支渠	
西渠 韓威鳳渠	仝上	仝上	仝上	第二十一支渠	
西渠 七股地渠	民國二十年自行籌欵一千七百餘元	長二千四百丈寬一丈深三尺流量足	臨河第四村	第二十二支渠	
西渠 補隆渠	民國十六年自行籌欵一千餘元	長一千四百丈深八尺深三尺流量足	五原二十二村	第二十三支渠	

統計可灌田七百餘頃，常年均有水可澆。按豐濟渠渠水暢旺，現所灌地，僅用流量十分之五六，餘水汜濫爲害；蓋欵項支絀，渠梢未能劈寬，致流不能暢故也。支渠中什八圪兔渠，向東行與沙河渠梢交叉

，倘可略分水勢，中段夾拉水道五分子橋處，有腰歎之弊；近將渠背加高，已少淹沒之虞矣。

（四） 沙河渠　沙河渠係光緒十五年王同春開挖，自五原西南鄉惠德成黃河北岸起，東北行經五原縣中部，過梅令廟，入五加河，計長八十三里餘。口寬四丈，深六尺、梢寬三尺。大小支渠凡七十餘道。其概況如下：錦繡堂支渠修竣三十餘年，長十五里、寬一丈二尺、深四尺、灌第二村。玉工頭支渠，修竣二十餘年，長七里、寬一丈二尺、深四尺，灌第二村。呂二支渠、修竣二十八年、長三里、寬一丈、深三尺、灌第二村。成起堂支渠、修竣二十二年、長一里寬八尺、深三尺、灌第二村。塔備壕支渠，修竣二十五年、長十五里、寬一丈二尺、深四尺，灌第二村。柴生花支渠修竣二十餘年、長五里、寬八尺、深三尺、灌第二村。龍文堂支渠，修竣二十二年、長三里、寬一丈、深三尺、灌第二村。張大櫃支渠、修竣二十五年、長十七里、寬一丈、深三尺、灌第三村。李官爾支渠、修竣二十餘年、長六里寬一丈二尺深三尺、灌第三村，譚櫃支渠、修竣三十餘年、長二里寬八尺深三尺、灌第三村。六合支渠、修竣三十餘年、長二里寬八尺深三尺、灌第三村。楊五支渠、修竣三十餘年、長二里、寬八尺、深三尺。灌第三村。照界支渠、修竣三十餘年、長二里、寬八尺、深三尺、灌第三村。張腮加支渠、修竣十一年、長三里、寬八尺深三尺、灌第三村。南牛犋支渠、修竣二十三年、長六里寬八尺、深四尺、灌第三村。五大股支渠、修竣十四年、長十五里、寬一丈、深四尺。灌第三村。長工支渠、修竣二十餘年、長七里寬八尺深三尺、灌第四村。鴨子兔支渠，修竣二十八年、長二里、寬八尺深二尺、灌第四村。發務長支渠、修竣五年、長八里、寬一丈深三尺，灌第四村。花生支渠、修竣十三年、長四里寬八尺深三尺、灌第四村。劉會長支渠、修竣四年、長四里、寬八尺、深三尺，灌第四村。補紅支渠、修竣三十餘年、長十六里、寬八尺、深三尺、灌第四村。劉德奎支渠、修竣四年、長七里、寬六尺、深三尺、灌第四村。三和公支渠、修竣三十年、長二里、寬八尺、深三尺。灌第四村。三櫃圪旦支渠、修竣三十四年、長二里寬八尺深三尺、灌第四村。和尚圪堵支渠，修竣三十餘年，長三里、寬八尺、深三尺、灌第四村。趙二鎮支渠，修竣七年，長二里、寬八尺、深三尺，灌第五村。洋人渠支渠，修竣三十餘年，長七里、寬一丈、深四尺、由公家繇款，灌第六村，梅令廟支渠、修竣三十餘年，長三里、寬八尺、深三尺，灌第六村。人字支渠，修竣三十年，長三里、寬一丈、深三尺，灌第六村。和尚支渠，修竣二十餘年、長十五里、寬一丈二尺、深二尺，灌第五村。魏九如支渠，修竣十二年，長七里、寬七尺、深四尺，灌第五村。楊潤支渠，修竣十三年，長八里、寬一丈、深三尺，灌第五村。郝羊拴支渠，修竣十年，長二里、寬八尺、深三尺，灌第五村。王攜言支渠、修竣七年，長二里、寬八尺、深三尺，灌第五村，王建寅支渠，修竣五年，長二里、寬八尺、深三尺，灌第五村。電報局支渠，修竣十二年，長五里、寬八尺、深三尺，灌第五村。閻二慶支渠，修竣十二年、長二里寬八尺、深三尺，灌第五村。閻長支渠，修竣十二年，長十二里、寬八尺、深三尺，灌第五村。同義隆支渠，修竣二十年，長十五里，寬一丈五尺、深三尺，由公家籌款，灌第五村。

統計上述各支渠，可灌田五百頃，（全渠流經地可千五百頃，因渠久失修，現能灌及者，僅四五百頃，）僅可於夏秋雨季澆水，即青苗澆一次，秋後罷地再澆一次已耳。蓋大河水落，渠道淤塞，非深加洗挖，難望水暢也。

【附記】一，上文所述支渠均通幹渠，至所屬支渠數目，無詳確調查。二，沙河渠支渠計共七十餘道，上文共列四十道，係就較大者列之。三，上文所列各支渠，係就上游依次叙述。四，上述各支渠，除洋人渠同義隆渠外，均係由所在地花戶自行籌款修鑿，其工款數目無確實考查。

（五）　通濟渠　通濟渠原名老郭河，係同治初年四川老郭名大義者所開。至光緒二十年，經其子郭敏修承父志糾同史老虎，萬太公，李逵元等完成之，故又名四大股渠。係自西土城黃河岸開口，東北行經德厚成，迄獺安和橋，長八十里；又東北行經板旦村而入長濟渠，轉五加河，長三十里，係郭敏修獨立；故又名五大股渠。計費銀三萬兩。光緒三十年，經務放地，公家備銀七萬兩贖歸公有，始組社經營。全長一百一十里，寬三丈四五尺，深五尺，支渠共計大小一百四十二道，惟黃河南邊，水勢不旺，且經灌田公社包租後，歷壞更甚，灌田無定時，總以河水高漲平口即淌也。

第一支渠，楊鋤勾於民國初年自工修築，長一里、寬三丈深三尺，流全渠百分一之，灌楊鋤勾圪旦村。

第二支渠，王田亭，於民國九年自工修築，長二里寬六丈深三尺，流全渠百分之一，灌李小圪卜地。

第三支渠，孔九成，於民國九年自工修築，長二里寬六丈深三尺，流全渠百分之一，灌大北淖村。

第四支渠，趙喜元，於民國二十一年自工修築，長十一里、寬一丈、深五尺、流金渠百分之一，灌人
頭樹村。
第五支渠、務殖堂，於光緒十九年墾務局出銀六千兩開墾，長十五里、寬三丈、深五尺、流幹渠全部
，灌公義社地。一丈子渠有三道。
第六支渠，韓世旺，於民國十五年自工修築，長十里、寬八尺、深三尺、流幹渠百分之二，灌辛二圪
堵地。有支渠四道。
第七支渠，陳善忠，於民國六年自工修築，長十里、寬八尺、深四尺、流幹渠百分之二。灌四虎姓圪
旦地。有支渠二道。
第八支渠，蔡家渠，於前清光緒初年由包戶蔡景榮出銀萬兩修墾，長三十五里、寬一丈四尺、深五尺
、流幹渠十分之三，灌蔡家地與白家地，有支渠二十道。
第九支渠，彭化舫，於民國初年自工修築，長四里、寬八尺，深四尺，流幹渠百分之二。灌德厚成村
，有支渠三道。
第十支渠，彭化舫，於民國初年自工修築，長五里，寬一丈、深五尺，流幹渠百分之五，灌德厚成村
。有支渠五道。
第十一支渠，彭化舫，於民國初年自工修築，長二里、寬六尺、深三尺、流金幹渠百分之一，灌德厚
成村，有支渠二道。
第十二支渠，彭化舫，於民國初年自工修築，長二里、寬六尺、深三尺、流金幹渠百分之一。灌德厚
成村，有支渠三道。
第十三支渠，興盛成，於民國初年自工修築，長四里、寬六尺、深三尺、流幹渠百分之一，灌興盛成
地，有支渠四道。
第十四支渠，魏三，於民國九年自工修築，長四里、寬八尺、深四尺、流幹渠百分之三，灌弓步地，
有支渠三道。

第十五支渠，孟王栓，於民國九年自工修築，長四里、寬八尺、深四尺、流幹渠百分之三，灌弓步地，有支渠四道。

第十六支渠，白家渠，於光緒二十二年自工修築，長五里、寬一丈，深五尺、流幹渠百分之五，灌白家地，有支渠八道。

第十七支渠，趙二於光緒三十三年自工修築，長四里、寬六尺、深三尺、流幹渠百分之一。灌白家地，有支渠三道。

第十八支渠，三成永南渠，於光緒初年包戶三成永出銀三千兩開鑿，長十一里、寬一丈、深五尺、流幹渠十分之一，灌白家地，有支渠十道。

第十九支渠，譚櫃渠於民國九年自工修築，長五里、寬一丈、深五尺，流幹渠百分之五。灌大盛成村，有支渠三道。

第二十支渠郭群，民國十七年自工修築，長二里、寬八尺、深四尺、流全渠百分之二。灌三尖村地。有支渠兩道。

第二十一支渠譚櫃渠，民國九年自工修築，長二里，寬八尺、深四尺，流全渠百分之二，灌大盛成村地。有支渠三道。

第二十二支渠吳有，民國初年自工修築，長二里、寬三尺、流幹渠百分之一，灌三尖村地，有支渠兩道。

第二十三支渠天益成，光緒三十三年自工修築，長五里，寬八尺。深四尺、流全渠百分之二，灌白家地。有支渠三道。

第二十四支渠，三成永北渠，於光緒二十三年包戶三成永出銀千兩修築，長十一里，寬二丈、深五尺，流全渠十分之一，灌白家地，有支渠兩道。

第二十五支渠，燕聚海，於光緒三十三年自工修築，長二里、寬六尺、深四尺、流全渠百分之一，灌白家地，有支渠兩道。

第二十六支渠，呂二仁於光緒三十三年自工修築，長二里、寬六尺、深三尺、流全渠百分之一，灌白家地，有支渠兩道。

第二十七支渠，天益成於光緒三十三年自工修築，長五里、寬八尺、深四尺、流全渠百分之二，灌白家地，有支渠兩道。

第二十八支渠，白怡道於光緒十六年自工修築，長五里、寬一丈、深五尺、流全渠百分之五，灌白家地，有支渠三道。

第二十九支渠，白怡道於光緒三十三年自工修築，長八里、寬八尺、深四尺、流全渠百分之二，灌白家地，有支渠三道。

第三十支渠，白怡道於光緒三十三年自工修築，長八里、寬六尺、深三尺、流全渠百分之一，灌白家地，有支渠兩道。

第三十一支渠，白怡道於光緒三十三年自工修築，長八里、寬六尺、深三尺、流全渠百分之一，灌白家地，有支渠兩道。

第三十二支渠，鴻農永於民國十八年包戶白怡道出銀三千元開鑿，長二十里、寬一丈、深五尺、流全渠百分之八，灌什泥廟地，有支渠十道。

第三十三支渠，郭維權於光緒二十六年自工修築，長三里、寬八尺、深四尺、流全渠百分之一，灌什泥廟地，有支渠一道。

第三十四支渠，郭維權於光緒二十六年自工修築，長四里、寬八尺、深四尺、流全渠百分之三，灌什泥廟地，有支渠兩道。

第三十五支渠，郭維權於光緒二十五年自工修築，長二里、寬六尺、深二尺、流全渠百分之一，灌什泥廟地，有支渠兩道。

第三十六支渠，郭維權，與上同。

第三十七支渠，和小子於民國初年自工修築，長一里、寬六尺、深三尺、流全渠百分之一，灌濟安和橋村，有支渠一道。

第三十八支渠，田板頭於民國九年自工修築，長三里、寬八尺、深四尺、流全幹渠百分之二，澆燕安和橋村，有支渠一道。

第三十九支渠，靳三於民國九年自工修築，長二里、寬五尺、深三尺、流全渠百分之一，澆燕安和橋村，有支渠二道。

第四十支渠，李月明於民國初年自工修築，長二里、寬一丈、深三尺、流全渠百分之一，澆燕安橋村，有支渠兩道。

第四十一支渠，黃腦樓於民國初年自工修築，長三里、寬一丈、深五尺、流全渠百分之五，澆燕安和橋村，有支渠兩道。

第四十二支渠，張二旦於民國九年自工修築，長二里、寬八尺、深四尺、流全渠百分之二，澆柳匠圪堵村，有支渠一道。

第四十三支渠，薄二保於民國初年自工修築，長一里、寬六尺、深三尺、流全渠百分之一，澆柳匠圪堵村，有支渠一道。

第四十四支渠，三和昌於民國初年自工修築，長三里、寬一丈、深五尺、流全渠百分之五，澆柳匠圪堵村。

第四十五支渠，張二旦於民國初年自工修築，長一里、寬五尺、深三尺、流全渠百分之一，澆柳匠圪堵村，有支渠一道。

第四十六支渠，保爾漢廟於光緒三十年包戶郭敏修出銀萬兩開鑿，長二十五里、寬三丈、深五尺、流幹渠全部，澆惠平長村與保爾漢廟村，有支渠十五道。

第四十七支渠，張六擠於民國九年自工修築，長二里、寬五尺、深二尺、流幹渠百分之一，澆惠平長村與保爾漢廟村，有支渠一道。

第四十八支渠，張四喇嘛於民國二年自工修築，長三里、寬五尺、深三尺、流幹渠百分之一，澆惠平長村與保爾汗廟村，有支渠一道。

第四十九支渠，柳匠圪堵於民國初年自工修築。長三里、寬八尺、深四尺、流幹渠百分之一，灌惠中長村與保爾汗廟村，有支渠兩道。

第五十支渠，大頭爾圪卜於民國九年自工修築。長四里、寬八尺、深四尺、流全渠百分之二，灌大頭爾圪卜村，有支渠四道。

第五十一支渠，大頭爾圪卜於民國九年自工修築，長四里、寬四尺、深三尺、流全渠百分之一，灌大頭爾圪卜村，有支渠兩道。

第五十二支渠，大擺渠於光緒二十三年，李四祥出銀一千五百兩開鑿。長十里、寬一丈、深五尺、流全渠百分之五，灌王光照壕，有支渠十道。

第五十三支渠，袁成香於民年初年自工修築，長二里、寬六尺、深三尺、流全幹渠百分之一，灌王光照壕，有支渠兩道。

第五十四支渠，劉克治於民年初年自工修築，長三里、寬六尺、深三尺、流全幹渠百分之一，灌王光照壕，有支渠兩道。

第五十五支渠，大頭爾圪卜於民國初年自工修築，長三里、寬八尺、深四尺，流全幹渠百分之二，灌大頭爾圪卜村，有支渠三道。

第五十六支渠，大頭爾圪卜於民國初年自工修築，長三里、寬八尺、深三尺、流全幹渠百分之三，灌大頭爾圪卜村，有支渠三道。

第五十七支渠，霍報帶於民國十四年包戶白惟義出洋一千五百元修鑿，長五里、寬一丈、深五尺、流全幹渠百分之五，灌板旦村，有支渠五道。

第五十八支渠，楊三於民國九年自工修築，長三里、寬六尺、深三尺、流全幹渠百分之一，灌板旦村，有支渠兩道。

第五十九支渠，耆和娃於民國初年自工修築，長一里、寬六尺、深三尺、流全渠百分之一，灌板旦村，有支渠兩道。

，有支渠一道。

第六十支渠，趙華林於民國初年自工修築，長一里、寬六尺、深三尺、流全渠百分之一、灌板旦村，有支渠兩道。

第六十一支渠，趙華林於民國初年自工修築，長一里、寬八尺、深四尺，流全渠百分之二、灌板旦村，有支渠三道。

第六十二支渠，惠豐長於光緒三十三年自工修築，長五里、寬一丈、深五尺、流全渠百分之一，灌板旦村，有支渠五道。

第六十三支渠，立耕堂於光緒二十三年自工修築，長四里、寬一丈、深五尺、灌板旦村，有支渠四道。

第六十四支渠，公積堂於光緒三十二年自工修築，長五里、寬一丈、深五尺、流全渠百分之五，灌板旦村，有支渠四道。

第六十五支渠，張進才於民國九年自工修築，長三里、寬六尺、深五尺、流全渠百分之一，灌張進才圪旦村，有支渠兩道。

第六十六支渠，王疤子於民國九年自工修築，長二里、寬六尺、深三尺、流全渠百分之一，灌張進才圪旦村，有支渠兩道。

第六十七支渠，王疤子於民國九年自工修築，長二里、寬六尺、深三尺、流全深百分之一，灌張進才圪旦村，有支渠兩道。

第六十八支渠，公積堂於光緒二十八年自工修築，長四里、寬八尺、深四尺、流全渠百分之二，灌劉蛇圪旦村，有支渠兩道。

第六十九支渠，農業堂於光緒二十八年自工修築，長五里、寬一丈、深五尺、流全幹渠百分之五，灌劉蛇圪旦村，有支渠五道。

第七十支渠，農業堂於光緒二十八年自工修築，長五里、寬八尺、深四尺、流全渠百分之二，灌劉蛇圪旦村，有支渠兩道。

第七十一支渠，俗報帶係天然渠壕，未加工修，長三里、寬三丈、深三尺、流全幹渠一部，灌楊三槐村，有支渠五道。

第七十二支渠，甘永泉於民國初年自工修築，長三里、寬八尺、深四尺、流全幹渠百分之二，灌板旦村，有支渠兩道。

第七十三支渠，樊亮於民國初年自工修懇，長三里、寬八尺、深四尺、流全幹渠百分之二，灌板旦村，有支渠兩道。

第七十四支渠，樊外撓於民國初年自工修築，長三里、寬六尺、深三尺、流全幹渠百分之一，灌板旦村，有支渠一道。

第七十五支渠，寧遠堂於光緒二十八年自工修築，長二里、寬八尺、深四尺、流全幹渠百分之二、灌板旦村，有支渠兩道。

第七十六支渠，六分子於光緒二十五年郭敘修出銀三千兩開懇，長十五里、寬一丈二尺、深五尺、流全幹渠十分之三，灌六分子村，有支渠二十五道。

第七十七支渠，郭維權於光緒二十五年自工修築，長三里、寬六尺、深三尺、流全幹渠百分之一，灌六分子村，有支渠兩道。

第七十八支渠，郭維權於光緒二十五年自工修築，長二里、寬八尺、深四尺、流全幹渠百分之二，灌六分子村，有支渠一道。

第七十九支渠，郭維權於民國二十五年自工修築，長二里、寬六尺、深三尺。流全幹渠百分之一，灌六分子村，有支渠一道。

第八十支渠，郭維權於民國二十五年自工修築，長二里、寬八尺、深四尺、流全幹渠百分之一，灌六分子村，有支渠一道。

第八十一支渠，郭維權於光緒二十年五自工修築，長二里、寬八尺、深四尺、流全幹渠百分之一，灌六分子村，有支渠兩道。

第八十二支渠，郭維權於光緒二十五年自工修築，長二里、寬八尺、深四尺、流全幹渠百分之一，灌六分子村，有支渠兩道。

第八十三支渠，郭維權於光緒二十五年自工修築，長二里、寬六尺、深三尺、流全幹渠百分之一，灌六分之村，有支渠一道。

第八十四支渠，郭維權於光緒二十五年自工修築，長二里、寬八尺、深四尺、流全幹渠百分之一，灌六分子村，有支渠一道。

第八十五支渠，德厚堂於光緒二十五年自工修築，長五里、寬一丈、深五尺、流全幹渠百分之五，灌六分子村，有支渠兩道。

第八十六支渠，德厚堂於光緒二十五年自工修築，長五里、寬八尺、深四尺、流全幹渠百分之二，灌六分子村，有支渠三道。

第八十七支渠，天聚公於光緒二十五年自工修築，長三里、寬八尺、深四尺、流全幹渠百分之二，灌六分子村，有支渠兩道。

第八十八支渠，薄鍾祿於光緒二十五年自工修築，長三里、寬八尺、深四尺、流全幹渠百分之二，灌六分子村，有支渠三道。

第八十九支渠，薄鐘祿於光緒二十五年自工修築，長二里、寬六尺、深三尺、流全幹渠百分之一，灌六分子村，有支渠一道。

第九十支渠，薄鐘祿於光緒二十五年自工修築，長二里、寬六尺、深四尺、流全幹渠百分之一，灌六分子村，有支渠一道。

第九十一支渠，郭滿勤於光緒三十三年自工修築，長二里、寬六尺、深二尺、流全幹渠百分之一，灌六分子村，有支渠一道。

第九十二支渠，杜富成於光緒三十三年自工修築，長三里、寬六尺、深三尺、流全渠百分之一，灌六分子村，有支渠一道。

第九十三支渠，致中和，於光緒三十三年自工修築，長三里、寬一丈、深五尺、流全幹渠百分之五，灘六分子村，有支渠一道。

第九十四支渠，張海堂，於光緒三十三年自工修築，長一里、寬六尺、深三尺、流全幹渠百分之一，灘六分子村，無支渠。

第九十五支渠，致中和，於光緒三十三年自工修築，長三里、寬一丈、深五尺、流全幹渠百分之五，灘六分子村，有支渠四道。

第九十六支渠，致中和，於光緒三十三年自工修築，長三里、寬八尺、深四尺、流全渠百分之二，灘五道口子，有支渠兩道。

第九十七支渠，致中和，於光緒三十三年自工修築，長三里、寬八尺、深四尺、流全渠百分之二，灘五道口子，有支渠兩道。

第九十八支渠，致中和，於光緒三十三年自工修築，長三里、寬八尺、深四尺、流全渠百分之二，灘五道口子，有支渠兩道。

第九十九支渠，致中和於光緒三十三年自工修築，長三里、寬一丈、深五尺、流全幹渠百分之五，灘五道口子，有支渠三道。

第一百支渠，致中和於光緒三十三年自工修築，長三里、寬八尺、深四尺、流全幹渠百分之二，灘五道口子，有支渠兩道。

第一百零一支渠，致中和於光緒三十三年自工修築，長三里、寬一丈、深五尺、流全幹渠百分之五，灘五道口子，有支渠兩道。

第一百零二支渠，致中和於光緒三十三年自工修築，長三里、寬八尺、深四尺、流全幹渠百分之二，灘五道口子，有支渠兩道。

第一百零三支渠，致中和於光緒三十三年自工修築，長二里、寬一丈、深五尺、流全幹渠百分之五，

綏遠省河套調查記

灌五道口子，有支渠三道。

第一百零四支渠，致中和於光緒三十三年自工修築，長二里、寬一丈、深五尺、流全幹渠百分之五，灌五道口子，有支渠三道。

第一百零五支渠，哈拉卜爾洞，於民國初年自工修築，長一里、寬一丈、深五尺、流全幹渠百分之五，灌哈拉卜爾洞村，有支渠一道。

第一百零六支渠，哈拉卜爾洞於民國初年自工修築，長一里、寬一丈、深五尺、流全幹渠百分之五，灌哈拉卜爾洞村。

第一百零七支渠，哈拉卜爾洞於民國初年自工修築，長一里、寬一丈、深五尺、流全幹渠百分之五，灌哈拉卜爾洞村。

第一百零八支渠，張近才於民國初年自工修築，長二里、寬六尺、深三尺、流全幹渠百分之一，灌哈拉卜爾洞村，有支渠一道。

第一百零九支渠，李二旦於民國初年自工修築，長一里、寬六尺、深三尺、流全幹渠百分之一，灌哈拉卜爾洞村。

第一百一十支渠，高八斤於民國初年自工修築，長一里、寬六尺、深三尺、流全幹渠百分之一，灌哈拉卜爾洞村，有支渠一道。

第一百一十一支渠，樊根枝於民國初年自工修築，長二里、寬八尺、深四尺、流全幹渠百分之二，灌哈拉卜爾洞村，有支渠一道。

第一百一十二支渠，楊滿倉於民國初年自工修築，長二里、寬一丈、深五尺、流全幹渠百分之五，灌哈拉卜爾洞村，有支渠二道。

第一百一十三支渠，三黃保於民國初年自工修築，長一里、寬六尺、深五尺、流全幹渠百分之一，灌三黃保圪堵村，有支渠一道。

第一百一十四支渠，劉板四，於民國初年自工修築，長二里、寬六尺、深三尺、流全幹渠百分之一，灌三黃保坊堵村，有支渠一道。

第一百一十五支渠，灌田社，於民國十三年自工修築，長二里、寬八尺、深四尺、流全幹渠百分之二，灌王光正壕，有支渠兩道。

第一百一十六支渠，陳三和於民國十三年自工修築，長一里、寬六尺、深三尺、流全幹渠百分之二，灌王光正壕，有支渠二道。

第一百一十七支渠，翟報帶於民國初年自工修築，長二里、寬一丈、深五尺、流全幹渠百分之五，灌王光正壕，有支渠一道。

第一百一十八支渠，灌田社於民國十二年灌田社出洋一千五百元，長十里，寬一丈、深五尺、流全幹渠百分之五，灌王光正壕，有支渠三道。

第一百一十九渠，王外長於民國初年自工修築，長二里、寬一丈、深五尺、流全幹渠百分之五，灌王光正壕，有支渠三道。

第一百二十一支渠，宋無士於民國初年自工修築，長二里、寬一丈、深五尺、流全幹渠百分之五，灌王光正壕，有支渠一道。

第一百二十二支渠，甘澇泉於民國初年自工修築，長三里、寬八尺、深四尺、流全幹渠百分之二，灌板旦村，有支渠一道。

第一百二十三支渠，樊亮於民國初年自工修築，長三里，寬八尺、深四尺、流全幹渠百分之二，灌板旦村，有支渠一道。

第一百二十四支渠，樊外撓於民國初年自工修築，長一里、寬六尺、深三尺、流全幹渠百分之一，灌板旦村，有支渠一道。

第一百二十五支渠，郭維權於民國初年自工修築，長二里、寬八尺、深四尺、流全幹渠百分之一，灌板旦村，有支渠兩道。

第一百二十六支渠，党義德，於民國十年白怡進出洋五百元，長三里、寬一丈、深五尺、流全幹渠百分之五，灌董全圪堵。

第一百二十七支渠，劉安祿於民國初年自工修築，長一里、寬六尺、深三尺、流全幹渠百分之一，灌董全圪堵。

第一百二十八支渠，郭維權於民國初年自工修築，長三里、寬八尺、深四尺、流全幹渠百分之一，灌板旦村，有支渠一道。

第一百二十九支渠，德厚堂於民國初年自工修築，長三里、寬一丈、深五尺、流全幹渠百分之五，灌板旦村，有支渠一道。

第一百三十支渠，德厚堂於民國初年自工修築，長二里、寬八尺、深四尺、流全幹渠百分之二，灌板旦村，有支渠一道。

第一百三十一支渠，德厚堂於民國初年自工修築，長二里、寬一丈、深五尺、流全幹渠百分之五，灌板旦村，有支渠一道。

第一百三十二支渠，黨義德於民國十年白怡道出洋一千二百元，長七里、寬一丈、深五尺、流全幹渠百分之五，灌董全圪堵，有支渠四道。

第一百三十三支渠，那林刀爾計於民國初年自工修築，長三里、寬一丈、深五尺、流全幹渠百分之二，灌板旦村，有支渠一道。

第一百三十四支渠，那林刀爾計於民國初年自工修築，長一里、寬八尺、深四尺、流全幹渠百分之二，灌板旦村，有支渠一道。

第一百三十五支渠，天聚公於民國初年自工修築，長一里、寬八尺、深四尺、流全幹渠百分之二，灌板旦村，有支渠一道。

第一百三十六支渠，薄鏞祿於民國初年自工修築，長三里、寬八尺、深四尺、流全幹渠百分之二，灌板旦村。

第一百三十七支渠，薄鏞祿於民國初年自工修築，長二里、寬六尺、深三尺、流全幹渠百分之一，灌板旦村。有支渠一道。

第一百三十八支渠，趙琪於民國初年自工修築，長二里、寬八尺、深四尺、流全幹渠百分之二，灌板旦村，有支渠一道。

第一百三十九支渠，郭滿勳於民國初年自工修築，長二里、寬八尺、深四尺、流全幹渠百分之二，灌板旦村。

第一百四十支渠，杜富成於民國初年自工修築，長二里、寬六尺、深三尺、流全幹渠百分之二，灌板旦村，有支渠一道。

第一百四十一支渠，張海堂，於民國初年自工修築，長二里、寬六尺、深三尺、流全幹渠百分之二，灌板旦村。

第一百四十二支渠，致中和，於民國初年自工修築，長二里、寬一丈、深五尺、流全幹渠百分之五，灌板旦村，有支渠兩道。

（六） 長濟渠 長濟渠係地商侯應奎于咸豐七年開挖，由黃河起，經東土城、徐海灘、吉爾曼太、萬太公、東槐木、大有公、小廠汗淖、至伊肯補降之東南，入五加河，計長百二十里。口寬四丈，深七尺。梢寬三丈。渠口築壩，長約五丈、寬五尺，以紅柳芨芨根黃土砌成。上游二十里無灣曲，兩岸多築丁字壩，以防水之衝刷也。自西槐木以下，渠身因地勢之高下而曲折，枝渠亦借弓背開口，然曲折太甚，時有決口之虞。

（七） 塔布渠 塔布、蒙語五數也。因渠係地商樊三喜、吉爾古慶、夏明堂、成順長、高和娃、合股開挖故名。原係道光三十年河水冲決，略加挑挖而成。為套渠之祖。渠口在長濟渠口下四里。身寬三丈餘，深三尺。梢寬三丈，深二尺。自渠口經馬廠地，同心堂、合少公中、打拉兔、西河畔，入烏梁素海子，長百二十里。枝渠凡十餘道，稱樊根來渠者五，稱陳駝羔渠者四，稱張照渠者七，稱李安邦渠者三，各以所有人名渠也。渠身良好，旱台盤齊，惟因不加修濬，前曾淤塞多年，民十七重修，略復舊觀。

（八） 黃土拉亥渠 黃土拉亥渠，創始于河曲人楊氏；楊氏中落，渠遂不治。光緒庚子年間，教案發生，以全部渠地賠償，抵銀十四萬兩，渠地全權，操之外人。十六年，始無條件收回公有。渠長一百四十七里半。上游寬五丈五尺，深七尺。下游寬四丈五尺，深四尺。下梢寬三丈五尺，深三尺。渠口在黄羊木頭南保豐兔灣。向東北流，經黄羊木頭，陝壩，發督，大發公，樂家營，分二枝入五加河。水勢暢旺，可灌田千五百頃，全年可灌溉六次。惜上游翁知劈寬，下游未知開濬，時患冲决。枝渠凡四十道。

附黄土拉亥渠所屬支渠調查表

名稱	修築之時間及工欵來源額數	長寬深淺及其流量之大小	所屬村落名稱	所屬子渠數目	備考
第一支渠　張全寳	民國十六年張自出洋一千六百元	長十三里寬八尺深三尺	烏齒淖	無	
第二支渠　賈六	民國十四年自出洋四千三百元	長十六里寬一丈深五尺	仝上	五	
第三支渠　皮鶴年	民國十年段富治出洋五千餘元	長二十三里寬一丈深四尺	仝上	四	
第四支渠　王章定	民國十二年自出洋四千三百餘元	長十八里寬一丈深四尺	陝壩	三	
第五支渠　王章定	民國十三年自出洋二百餘元	長二里寬六尺深三尺三寸	仝上	無	
第六支渠　三大股	民國十二年本渠地戶夥出洋二萬七千元	長三十八里寬二丈二尺深六尺	仝上	四五	
第七支渠　營三渠	民國十三年營三出洋三百元	長三里寬六尺深三尺	仝上	無	
第八支渠　郭連生	民國十四年郭連生出洋六百四十元	長五里寬六尺深四尺	仝上	無	

第九支渠小南渠	民國十五年衆地戶出洋五千四百元	長二十里寬一丈深五尺	仝上	一五	
第十支渠胡忠	民國十五年胡忠出洋八百元	長六里寬五尺深五尺	仝上	無	
第十一支渠閻子	民國十六年天主堂出洋二萬八千元	長三十九里寬二丈二尺深六尺	仝上	五一	
第十二支渠沙河	民國七年天主堂出洋八千二百一十元	長三十二里寬一丈二尺深四尺	仝上	三二	
第十三支渠王良	民國七年王良出洋六千三百元	長二十九里寬一丈深四尺	仝上	三一	
第十四支渠劉長	民國六年劉長出洋二百二十元	長六里寬五尺深四尺	仝上	無	
第十五支渠魏二	民國十五年魏二出洋二千元	長十四里寬五尺深四尺	仝上	三	
第十六支渠王三入	民國十五年王三入出洋二百三十元	長三里寬五尺深三尺	仝上	無	
第十七支渠許存保	民國十三年許存保出洋四百五十元	長三里寬七尺深四尺	上蠻會	二	
第十八支渠太和堂	民國十二年太和堂出洋二千〇八十元	長十三里寬一丈深四尺	仝上	三	
第十九支渠段江世	民國十六年段江世出洋一百五十元	長四里寬三尺深三尺	仝上	無	
第二十支渠段江世	民國十六年段江世出洋五百元	長四里寬八尺深三尺	仝上	二	
第廿一支渠下蠻會西	民國三年天主堂出洋二萬三千元	長三十三里寬二丈五尺深五尺	下蠻會	六	

第廿二支渠 豐茂盛	民國十三年豐茂盛出洋七百七十元	長八里寬六尺深三尺	上蹬會	四	
第廿三支渠 豐茂盛	民國十三年豐茂盛出洋八百元	長八里寬五尺深四尺	仝上	無	
第廿四支渠 陳大	民國十二年陳大出洋八百五十元	長九里寬五尺深三尺五寸	仝上	二	
第廿五支渠 武三	民國八年武三出洋二千五百元	長十二里寬一丈深四尺	同上	七	
第廿六支渠 閫如林	民國十六年閫如林出洋六百元	長八里寬五尺深三尺	同上	無	
第廿七支渠 義成全	民國七年義成全出洋二千八百元	長十三里寬一丈深四尺	同上	六	
第廿八支渠 廣義永	民國五年廣義永出洋三百六十元	長十四里寬一丈二尺深四尺	同上	八	
第廿九支渠 上蹬會	光緒三十二年上蹬會出洋四千八百元	長十五里寬一丈五尺深四尺	同上	八	
第三十支渠 德和泉	民國十六年德和泉出洋一千七百元	長八里寬一丈深四尺	同上	四	
第卅一支渠 戶口地	民國七年李萬擇出洋二千八百元	長十五里寬一丈深三尺五寸	同上	六	
第卅二支渠 柴油房	民國七年柴油房出洋二千七百元	長九里寬一丈深四尺五寸	同上	四	
第卅三支渠 七大股	民國十七年衆出洋三千二百元	長十五里寬一丈深四尺	大發公	七	
第卅四支渠 王亮亮	民國十九年王亮亮出洋一千元	長七里寬八尺深三尺五寸	同上	無	

第三十五支渠大發公	民國四年天主堂出洋一萬四千元	長二十五里寬一丈八尺深六尺	同	上	七	
第三十六支渠三尖	民國六年李鳳成出洋一千元	長七里寬八尺深三尺五寸	同	上	三	
第三十七支渠吳海虎	民國十四年吳海虎出洋五百一十元	長四里寬八尺深三尺	同	上	三	
第三十八支渠毛隆永	民國三年天主堂出洋一千三百元	長八里寬八尺深四尺	同	上	四	
第三十九支渠昌盛連	民國十二年昌盛連出洋一千五百元	長八里寬一丈深三尺五寸	同	上	四	
第四十支渠盛家營	民國十三年地戶夥出洋一千五百元	長七里寬一丈深四尺	同	上	五	
說明	查渠水分春水熱水秋水冬水，其流量之大小，隨黃河之漲落為轉移，伏水最大，熱水秋水次之，春水冬水又次之。再渠之高低，亦關係流量之大小，故本表無法填入，特此聲明					

（九）　義和渠　義和渠係光緒十八年王同春所開。渠口在土城子。初挖至三份口，二十六年，由三份口過隆興長，接挖至巴總地。二十八年，始出稍，通五加河。款由王同春獨籌，計費銀八千六百餘兩。計長一百一十五里。寬四丈，深平均五尺。灌域遼廣，計澆西牛犋、同興德、田大人地、南牛犋、保德泰、四大股、北牛犋、新舊巴總地等數十村，地約兩千頃。惟水不敷用，平均年可澆五百頃。如遇水小時，須在舊巴總地築壩數月，始能灌漑。支渠計四十五，惟均不長；最長者三十里，次二十里，十五里，餘僅五七里者。

（十）　民復渠　原名扒子補隆教堂渠，民國十九年，向教堂收歸公有，始改今名。渠長五十五里，寬二丈，深四尺。渠之所經，為西河畔、義和魁等處；均為塔布渠灌漑所及，故渠務之利不大，將來可灌地四百餘頃。

私有各渠概况

（一）楊家河渠　楊家河係道光間楊姓開，尋湮廢。民六經楊義林復浚，仍其舊名，但不仍其舊址。十六年底工始竣。費時十一年，糜款七十四萬四千餘兩。渠口在臨河縣境之義祥永，向西北行，經頭道橋，中官堂，納子亥，二道橋，三道橋，板旦加浪，入五加河，計長二百里，爲套渠中最長者。渠口寬七丈，深七尺。幹平均寬五丈七八尺，深六尺餘。每年可澆水七次，開河水，桃花水，熱水，伏水，秋水，凍水，冬水，計灌平政，平化，平城，平定，平治，平順，太和，太昭，太熙，九村，地千餘頃。按楊家河渠係私有性質，工程管理局歸私人，自行負責，責專利均，成績甚好。惟近年五加河淤塞，渠稍不暢，影響灌田不少。本渠亦照章組水利社，其澆灌地，每年丈青須納費十二元，七元充修渠費，二元五角充社經費，二元五角充包西渠利管理局經費。支渠綦多，列表如左：

後套臨河縣楊家河自修渠所屬支渠調查表　二十一年七月三十日查塡

名稱	修鑿之時間及工款來源額數	長寬深淺及其流量之大小	所灌村落名稱	所屬支渠數目	備考
「渠東」第一支渠黃羊木頭渠	民七年楊春林私款一萬六千二百餘兩	長三千四百丈寬二丈深五尺水大而暢	黃羊木頭及召灘一帶	十六道	
第二支渠于生留	民國十五年楊春林私款二萬二千四百餘兩	長一千八百餘丈寬一丈六尺深四尺水勢中	腦高特拉及召灘一帶	九道	
第三支渠中谷兒	民六楊春林私款三萬二千四百餘兩	長九千丈寬二丈深五尺水大而暢	烏蘭淖兒紅柳淖處	三十八道	
第四支渠劉高保	民十一劉高保私款二千餘兩	長七百二十餘丈寬一丈深四尺水勢中	中谷兒堂一帶	無	
第五支渠傅鑑羅	民七傅鑑羅私款四百餘兩	長三百六十餘丈寬六尺深四尺水勢不佳	中谷兒堂門前一帶	無	

第六支渠老謝渠	民九楊春林私欵三萬二千四百餘兩	長一萬〇八百餘丈寬二丈深五尺水勢中	速台廟老謝圪卜一帶	四十一道	
第七支渠東邊	民九衆花戶集欵五千餘兩	長一千四百四十餘丈寬一丈深四尺水勢中	捉龍壕楊二圪旦一帶	七道	
第八支渠王根根	民八王根根劉給哈合欵二千餘兩	長七百二十餘丈寬一丈深四尺水勢中	哈喇溝一小部	無	
第九支渠亦名東邊	民十七楊春林私欵六千四百八十餘兩	長二千七百餘丈寬一丈六尺深五尺水大而暢	哈喇溝沙溝堰一帶	十一道	
第十支渠小東邊	民八衆花戶集欵一千五百餘兩	長七千二十餘丈寬一丈深三尺水勢中	哈喇溝一小部	四道	
第十一支渠呂平治	民八呂平治私欵三百餘兩	長三百六十餘丈寬一丈六尺深三尺水大而暢	同上	無	
第十二支渠郝二老漢	民八郝二私欵八百餘兩	長五百四十餘丈寬二丈深四尺水大而暢	二道橋西	無	
第十三支渠劉高保	民八劉高保私欵八百餘兩	同上	二道橋南	無	
第十四支渠王四渠	民八王四私欵六百餘兩	長五百四十餘丈寬六尺深四尺水大而暢	同上	無	
第十五支渠王銀坑	民八王銀坑私欵六百餘兩	長二百四十餘丈寬六尺深四尺水大而暢	同上	無	
第十六支渠朱二北	民八朱二北私欵三百餘兩	長三百六十餘丈寬四尺深三尺水大而暢	同上	無	
第十七支渠高長林	民八高長林私欵一千五百餘兩	長九百丈寬一丈深三尺水大而暢	二道橋	無	
第十八支渠劉啟世	民八劉啟世與張温于三家集欵八千兩	長一千六百二十餘丈寬一丈深五尺水大而暢	二道橋城東至沙溝堰畔	五	

綏遠省河套調查記

第十九支渠陝壩渠	民八民十楊春林私欵二萬二千六百八十兩	長六千二百丈寬二丈深五尺水大而暢	三道橋東速台廟王仲喜圪旦關二千家圪旦安圪旦	二三
第二十支渠楊毛匠	民九楊毛匠私欵一千餘兩	長七百二十餘丈寬一丈深四尺水大而暢	楊毛匠圪旦	無
第廿一支渠田驟駒	民九田驟駒私欵二百餘兩	長三百六十餘丈寬四尺深三尺水大而暢	田驟駒圪旦	無
第廿二支渠郭敢世	民九郭敢世私欵三百餘兩	長五百四十餘丈寬四尺深三尺水大而暢	郭家台子附近	無
第廿三支渠沈存子	民九沈存子私欵一百餘兩	長三百六十丈寬四尺六深三尺水大而暢	沙羅圐西沈存子圪旦	無
第廿四支渠趙佺馬	民十趙佺馬私欵五百餘兩	長五百四十餘丈寬四尺六深三尺水大而暢	三道橋南至沙壁圐北	無
第廿五支渠天主堂	民十天主堂私欵二千餘兩	長九百餘丈寬一丈深四尺水大而暢	三道橋堂東堂西	無
第廿六支渠天主堂	民十天主堂私欵三百餘兩	長三百六十餘丈寬六尺八深三尺水大而暢	三道橋堂北	無
第廿七支渠王外生	民十王外生私欵一百七十餘兩	長三百六十餘丈寬四尺六深三尺水大而暢	王外生圪卜高三小子圪旦	無
第廿八支渠塔侯仁	民十塔侯仁私欵五千餘兩	長一千六百一十餘丈寬一丈深三尺水大而暢	塔侯仁圪旦三大股	三
第廿九支渠熱水圪卜	民十李留所私欵一百餘兩	長三百六十餘丈寬四六深三尺水大而暢	熱水圪卜	無

第三十支渠 蹬會支渠	民十一至十四楊春林私欵八萬一千六百四十八兩	長一萬二千六百丈寬三丈六尺深六尺水大而暢	廬草圪卜李三秃圪旦蹬會堂西勾星廟圪卜天義生圪卜溝義和後速一帶	七三	
第三十一支渠 胡達賴	民十二胡達賴私欵五千餘兩	長一千四百四十餘丈寬一丈六尺深四尺水大而暢	沙溝壕胡達賴城附近	三	
第三十二支渠 白喬保	民十二白喬保私欵二千餘兩	長九百餘丈寬一丈深四尺水大而暢	白喬保圪旦一帶	二	
第三十三支渠 李三河	民十五李三河私欵二千六百餘兩	長一千〇八十丈寬一丈六尺深三尺水大而暢	李三河圪卜附近	三	
第三十四支渠 王拴如	民十四王拴如私欵一百萬兩	長四百丈寬四六深三尺水大而暢	楊櫃北牛摸後爲加河沖	無	
第三十五支渠 [渠渠西]西濠	民十一衆花戶集欵三千五百餘兩	長一千二百六十餘丈寬一丈深四尺水勢不佳	西那只亥一帶	四	
第三十六支渠 大臣	民九杭旗西卜圪大臣私欵二千餘兩	長九百丈寬一丈深四尺水勢中	那只亥城附近	無	
第三十七支渠 趙連奎	民十趙連奎私欵一千餘兩	長五百四十丈寬一丈深四尺水勢中	趙連奎圪旦附近	無	
第三十八支渠 三淖支渠	民九至十三楊春林私欵二萬八千〇四十兩	長一萬二千六百丈寬三丈深六尺水大而暢	哈拉溝甲登廟白腦包圪卜三治一畝樹土召子圪卜合燕腦包永興隆馬三海趙二厰	七〇	
第三十九支渠 呂四旦	民八呂四旦私欵三百餘兩	長二百八十餘丈寬四六深三尺水勢中	呂四旦圪旦附近	無	

第四十支渠尹喜	民八尹喜私欵三百餘兩	長三百六十丈寬四六深三尺水大而暢	尹喜圪旦附近	無	
第四十一支渠白官保	民八白官保私欵三百餘兩	長三百七十丈寬四六深三尺水大而暢	白官保圪旦附近	無	
第四十二支渠張大喜	民八張大喜私欵三百餘兩	長三百七十餘丈寬四六深三尺水大而暢	張大喜王雙喜附近	無	
第四十三支渠寇貴榮	民八寇貴榮私欵八百餘兩	長七百二十餘丈寬四六深三尺水大而暢	二道橋西附近		
第四十四支渠西邊	民十至十一楊春林私欵五千一百八十四兩	長二千七百丈寬一丈六尺深四尺水大而暢	粉房圪旦及王天成圪旦等處	五	
第四十五支渠劉祿	民十劉祿私欵五百餘兩	長七百二十餘丈寬四六深三尺水大而暢	劉祿圪旦附近	無	
第四十六支渠吳金桂	民十吳金桂私欵五百餘兩	長七百二十餘丈寬四六深三尺水大而暢	吳金桂圪旦附近澄泥圪旦城以東	無	
第四十七支渠賈八寶	民八賈八寶私欵二千餘兩	長一千二百六十餘丈寬六八深三尺水大而暢	澄泥圪卜附近	三	
第四十八支渠馬仁	民八馬仁私欵三百餘兩	長三百六十餘丈寬四六深三尺水大而暢	馬仁圪旦附近	無	
第四十九支渠福茂西	民十福茂西私欵二千餘兩	長九百餘丈寬一丈深三尺水大而暢	福茂西圪旦及高德元圪旦	三	
第五十支渠趙五祿	民十九年楊春林私欵一萬餘兩	長二千四百餘丈寬二丈六尺深五尺水大而暢	梅令廟灘至河角子畔一畄樹	十	
第五十一支渠楊胡拴	民十一年楊胡拴私欵三百餘兩	長五百四十餘丈寬四六深三尺水大而暢	楊胡拴圪旦	無	
第五十二支渠馮官貴	民十七馮官貴私欵五千餘兩	長九百餘丈寬一丈深四尺水大而暢	梅令廟灘	無	

第五十三支渠劉四明眼	民十劉四明眼私款三百餘兩	長五百餘丈寬四六深三尺水大而暢	三道橋南	無	
第五十四支渠同義長	民十同義長私款二千餘兩	長九百餘丈寬一丈深四尺水大而暢	三道橋背後	二	
第五十五支渠西渠	民十楊春林私款六千餘兩	長三千一百六十餘丈寬一丈六尺深四尺水大而暢	李大恭圪旦及睹梅令灣	十	
第五十六支渠樊四毛	民十樊四毛私款三百餘兩	長五百四十餘丈寬四六深三尺水大而暢	樊四毛附近	無	
第五十七支渠蘇黑郎	民十蘇黑郎私款四百餘兩	長九百餘丈寬四六深三尺水大而暢	堂圪卜至柴家圪旦	二	
第五十八支渠魏桂元	民十一魏桂元私款一百五十餘兩	長一百八十餘丈寬四六深三尺水大而暢	魏桂元附近	無	
第五十九支渠宋銅	民十一宋銅私款六百餘兩	長二百二十餘丈寬四六深三尺水大而暢	西沙灣一帶	無	
第六十支渠紅房	民十九謙德西私款四千餘兩	長一千二百六十餘丈寬一丈二尺深五尺水大而暢	紅房門前至梅令灣	三	
第六十一支渠張三毛	民十九張三毛私款一千餘兩	長九百餘丈寬一丈深五尺水大而暢	鎮番圪旦附近	無	
第六十二支渠六八	民十一劉二私款一千餘兩	長九百餘丈寬一丈深四尺水大而暢	豬二圪旦及劉長在附近	三	
第六十三支渠魏鳳岐	民十二魏鳳岐私款九百餘兩	長九百餘丈寬六八深三尺水大而暢	圪什圪灣一帶附近	無	
第六十四支渠康善人	民十二康善人私款三百餘兩	長五百四十餘丈寬四六深三尺水大而暢	康善人圪旦及劉喜紅圪旦	一	
第六十五支渠王善人	民十三王善人私款八百餘兩	長一千零八十餘丈寬六八深三尺水大而暢	王善人圪旦及呂二圪旦附近	一	

第六十六支渠劉喜紅	民十三劉喜紅私款五百兩	長三百六十丈寬一丈深四尺水大而暢	劉喜紅圪旦楊櫃北牛阻附近	無	
第六十七支渠無名小支渠	民十五謙德西私款一百兩	長二百丈寬六八深四尺水大而暢	楊櫃北牛阻背後爲加河畔	無	
附記	一，查各支渠因數目繁多，向無確實調查，此次所得，係由多年渠頭記憶及調查而成，所列之處，難免不無十一之錯，合併聲明。				

（1）　戶口地渠（即馬廠地）長三十餘里、寬一丈二尺，深三尺五寸、於光緒三十二年由公款開挖，所屬支渠共七道，可澆永豐村之地約三十餘頃，包西永利管理局每頃徵收洋二元五角，充該局開支用，該渠並無形式組織，祇由水利社民戶共雇一人管理。光緒三十二年由西盟墾務局開放地時，歸爲私管，若渠有工程由民戶按地攤款，自行修浚，馬廠地爲蒙民之牧場，引戶口地渠之水澆地。

（2）　吳祥渠，長二十餘里、寬二丈、深三尺、於清光緒三十二年五月私款開挖，（即吳祥所開）所屬支渠共七道，澆永昌村之地約二十餘頃，包西水利管理局每頃徵收洋二元五角，充該局開支之用，該渠由民戶公雇一人管理之，墾局放地以後，仍歸私有管理，若渠有工程，由民戶按地攤款修浚。

（3）　德成渠　長三十餘里、寬一丈五尺、深四尺、光緒二十年五月由私款開挖，所屬大小支渠共十道，澆永昌村之地約四十餘頃，包西水利管理局每頃徵收洋二元五角，充該局開支之用，亦無形式組織，由民戶共雇一人管理，該渠原爲私款所開，於光緒三十年經西盟墾務局收歸公有，償還私款，墾局放地之時，仍歸私管，若渠有工程，由民戶按地攤款自行修浚。

（4）　閻鎖渠　長七十里、寬三丈、深五尺、光緒三十二年五月公款開挖，大小支渠共有五十餘道，澆永嘉永康兩村之地，約六百餘頃，包西水利管理局每頃徵收洋二元五角，充該局開支之用，該渠由民戶公雇一人或二人管理之，該渠爲公款所開，因墾務局放地歸爲私管，若渠有工程，由民戶按地攤款，自行修築。

（5） 天德源渠 長四十餘里、寬一丈五尺、深四尺、光緒元年五月爲私款所開，大小支渠共有十餘道，澆永昌村之地約五十餘頃，包西水利管理局每頃徵收洋二元五角，充該局開支之用，該渠僅由民戶公雇一人管理之。原爲天德源獨資開挖，於光緒三十年經西盟墾務局償還私欵，收歸公有，墾局放地時仍歸私管，若渠有工程，由民戶按地攤欵，自行修浚。

（6） 魏羊渠 長四十餘里、寬二丈、深五尺，光緒四年五月私欵開挖，大小支渠共二十餘道，澆永興村之地約七十餘頃，包西水利管理局，每頃徵收洋二元五角，充該局開支之用，亦無組織，由民戶公雇一人管理之。該渠原爲魏商人所開，於光緒三十年經西盟墾務局償銀三千兩，收歸公有，墾局放地時，仍歸私管，若渠有工程，由民戶按地攤欵，自行修浚。

（7） 合少公中渠 長四十餘里、寬二丈、深五尺、於咸豐元年由地起欵，共有支渠十五道，澆合少公中地三百餘頃，每年每青苗地一頃，水利局收洋二元五角，其餘修渠等費，按地起征，全渠修挖由包地戶負責，未設水利社，現該渠因淤廢多年無力修挖，以致沃壤變爲石田，殊爲可惜。

（8） 綏遠省立第一中學學田渠（俗稱王搭頭渠）長六十四里、均寬二丈五六尺、深五六尺、澆同心堂小召子魏官地羊墩子盧官壕西大淖爾等地約一百餘頃，民十九年五月開工，由地起欵開挖，共有支渠十五道，每年每青苗地一頃，水利局征收經費洋二元五角，其餘修渠辦公等費，按地起征水租，全渠修挖工程，由地戶共同負責，組織學田渠辦公處於盧官壕，未設水利社。該渠原由中學校事務主任溫玉如鑒於學田無專渠，每感困難，故邀同包戶王昇祥等發起開渠，於二十一年春季始開通，水流尚通暢，由黃河東岸開口，直至西大淖爾止。

（9） 永成渠 長二十餘里、寬二丈，深五尺、同治元年由地起欵開挖，共有支渠十二道，澆永成地約四十餘頃，每年每青苗地一頃，水利局征收洋二元五角，其餘修渠等費，按地起征，全渠修挖工程，由地戶負責，未設水利社。現該渠由口至梢淤塞應從速修挖，以利灌溉。

（10） 宿亥灘渠 長二十餘里，寬二丈，深五尺，光緒二年由地起欵開挖，共支渠九道，澆宿亥灘地約五十餘頃，每年每青苗地一頃，水利局收洋二元五角，其餘修渠等費，按地起徵，全渠修挖工程由地戶負責，未設水利社，現渠口淤澄，宜速修理。

（11）李柿濟渠　長二十餘里、寬二丈、深五尺、民三年由地起款開挖．共有支渠十一道，澆熟地地約八頃，每年每倩出地一頃，水利局收洋二元五角，其餘修渠等費，按地起征，全渠修挖工程，由民戶共同負責，未設水利社。該渠淤澄，應從速修挖，以利澆灌。

（12）興盛成渠　長四十里、寬三丈、深四尺、民廿三年築東由本渠籌款三萬四千九百餘元開挖，共耕地十一萬二千四百餘畝。所屬支渠有九道，共澆賈方店，二元子灣，爛大店，四大人地，喜娃子圪卜，總算成之地百餘頃。該渠按年澆地多少或租或分，概由興盛成自由分配，按頃征收，無水租之分別。所收地款，除與經理外，即修理。由興盛成自行經理，未設水利社。

（13）致遠堂渠　長二十四里、寬四丈、深一尺、光緒十八年致遠堂開，後淤廢，民三十年復開，共用洋五千八百餘元，共有支渠三道，共澆東營子，西營子，錦秀堂之地四十餘頃，按年澆地多少，或租或分，由致遠堂自由分配，按頃收租價，無水租之分別，所收租款，除與經理外，即修渠道地艱之用，由致遠堂自行經理，無水利社。

（14）長濟牛渠　長五十里、寬二丈四尺、深四尺、於宣統二年由地商私人籌款開挖，有支渠二道，澆廠迷兔村地約廿頃，每年每倩出一頃，收二元五角，充水利管理局經費，未設水利社，一切修渠澆水等事由地商長濟牛經理之。

（15）同興德渠　長三十六里、寬一丈三尺、深三尺五寸，於民七由地商自行籌款開挖，有支渠二道，澆廠迷兔村地約十餘頃，逐年丈青，每頃收水利洋二元五角，充水利管理局經費，未設水利社，一切修渠澆水等事，完全由地商同興德經理。

（16）廠汗淖渠　長二十里、寬二丈、深三尺，於光緒二十八年，由蒙古人自行備款開挖　灌廠汗淖地約五六頃，按逐年丈青，每頃收水利費洋三元五角，充水利管理局經費，未設水利社，一切修渠澆水等事，由地商忠義全經理之。

（17）十大股渠　長三十里、寬一丈三尺、深四尺、於同治五年由地商張姓備款修挖，灌十大股地約三十頃。水利管理局按丈青數，每頃收洋二元五角，充該局經費，修渠及水利社費用，按地均攤無定額，水利社組織簡單，設經理兼司賬一人，渠頭一人，渠夫若干名。

（18）哈拉烏素渠　長六十里、寬二丈八尺、深四尺，於同治五年，由地商公惠誠備款開挖，有支渠二道，灌阿善村地約五十頃，逐年丈青，每頃收洋二元五角，充水利管理局經費，修渠及水利社費用，按地均攤無定額，水利社設經理司賬各一人，渠頭二人，渠夫若干人。

（19）熊萬庫渠　長二十五里、寬一丈六尺、深三尺五寸，於光緒三十二年，由地商常興堂開挖，澆熊萬庫村地約三十餘頃，逐年丈青，每頃收洋貳元五角，充水利管理局經費，修渠及水利社費用，按地均攤無定額，水利社設經理司賬渠頭各一人，渠夫若干人。

（20）新皂火渠　長九十二里、寬三丈二尺、深四尺，於民七年三月，由各地商集資開挖，經辦人爲王同春樊三喜等，有支渠十一道，澆第八第九第十等村地，約一百八十頃，逐年丈青，每頃收洋二元五角，充水利管理局經費，修渠及水利社等費，由各地戶均攤無定額。水利社設經理副經理各一人，會計司賬各一人，正副渠頭各一人，渠夫若干人。

（21）舊皂火渠　長九十二里、寬三丈五尺、深四尺五寸，在康熙四十二年，由各地商集資開挖，有支渠十六道，澆第九村地約一百餘頃，逐年丈青，每頃收洋二元五角，充水利局經費，修築等費則由民戶均攤。一切事項並無組織，由地戶商同辦理。

（22）劉三地渠　長五十餘里、寬二丈、深五尺、於光緒四年五月私人開挖，有支渠二十道，澆永豐村之地約一百餘頃，包西水利管理局，每頃徵收洋二元五角，充該局開支之用，未設水利社，由民戶公雇一人或二人管理之。該渠原爲私開，於光緒三十年，經西盟墾務局償還私款，收歸公有，墾務總局放地之時，仍歸私管，若渠有工程，由民戶按地攤款，自行修洗。

（23）三大股渠　長七十餘里、寬三丈、深五尺、於民七五月私款開挖，有支渠五十道，澆永嘉永康兩村之地約五百餘頃，包西水利管理局，每頃收洋三元五角，充該局開支之用。亦未設水利社，由地戶互推一人管理之，該渠係三家（即世成西德和泉海盛魁）地戶合開，用款十萬元，若渠有工程，由民戶按地攤欵，自行修挖。

（24） 秀華堂渠（即五大股渠）長三十里、寬一丈五尺、深三尺五寸、於光緒四年五月，私欵開挖（原爲甄商人獨資開挖）有支渠十道，澆永興村之地約五十餘頃，包西水利管理局，每頃收洋二元五角，充該局開支之用，亦未設水利社，由民戶公雇一人管理之。該渠原爲甄商人獨資開挖，於光緒三十年，由西盟墾務局償還銀兩，收歸公有，墾務局放地時，仍歸私管，若渠有工程由民戶按地攤欵自行修洗。

（25） 色爾宿亥渠　長二十餘里、寬一丈二尺、深四尺、於光緒三十二年五月公欵開挖，有支渠十道，澆永興村之地約四十餘頃。包西水利管理局，每頃收洋二元五角充該局開支之用，未設水利社由民戶公僱一人管理之，該渠原爲公欵所開，經墾務局放地，歸爲私管，若渠有工程，由民戶按地攤欵，自行修洗。

（26） 强家渠　長三十餘里、寬一丈二尺、深四尺、澆永興村之地約四十餘頃，於光緒四年五月私欵開挖，（即强商人）有支渠十道，包西水利管理局，每頃收洋二元五角，充該局開支之用，該渠亦未設水利社，由民戶共雇一人管理之，原爲强商人所開，於光緒三十年，經墾務局償還私欵，收歸公有，墾局放地之時，仍歸私管，若渠有工程，由民戶按地攤欵，自行修洗。

（27） 土獻地渠　長五十里、寬二丈、深五尺、光緒元年五月私欵開挖，有支渠二十道，澆永昌村之地約一百餘頃。包西水利管理局，每頃收洋二元五角，充該局開支之用，亦未設水利社，由民戶公雇一人管理之。該渠原爲私欵所開，於光緒三十年經西盟墾務局償還私欵，收歸公有，墾務局放地時，仍歸私管，若渠有工程，由民戶按地攤欵，自行修洗。

（三） 東西水道渠：　東西水道渠，在安北境，係引安北城北之山溪水，土名武孫禿綠河者。渠長五十里，經佘太召，二合公三分子，八分子，及西水道，約灌田二百餘頃，係佘太召及各地戶所開。其水可分爲二：一洪水，秋夏二季可澆。二清水，全年可澆。

渠務困難及改革

河套渠務困難之點，其因有八：河水降落，達於一丈五尺，水進渠不易，一也。各渠渠口多就高處修築，昔年進水易，今因河水降落，進水殊難，流既不暢，乃多淤塞，故河套各渠，年年均須修挖一次，需款浩繁，二也。河身在南，渠流多由南向北，而地則北高南低，渠水上流，悉賴水力擁擠，流緩沙沉，易為淤塞，三也。渠水多沉淤，渠口年高五寸，中腰三寸，梢寸許，地愈高愈難上水，四也。水難進地，因而築垻阻水，致泥沙下沉淤塞，五也。各渠多賴五加河退水，乃五加河下流淤塞，水為烏拉山所阻，匯為烏梁素海子，不復與大河通，退水無路，水難達梢，六也。大河河床，遷移無定，年修渠口，費工費款，而無入水把握，七也。水中間有含鹽碱性過大者，八也。總之河套渠務困難，在乎河低渠高地更高是也。其改革方法，論者殊多，茲述之如下。

1將各渠酌加去留，改渠口於地勢河流適宜之處，使渠之傾斜，較河略緩，則自渠口數十里以下之水面，皆超過地平。全套分三大幹渠：第一渠，自烏拉河口起，入中格爾渠，經善拜，由黃土拉亥河至福興元，入五加河，計長一百八十里。第二渠，由永濟渠口起，入永濟渠，至永盛和東折，發剛濟協成各渠，入皂火渠，過同興德，由義和渠，經隆興長，至東垻頭，入五加河，計長二百三十里。第三渠，自黃河口起，與黃河並行，經古城，入長勝渠，至依肯補隆，入五加河，計長一百七十里。三渠共長五百八十里。各渠餘水，既退入五加河，須將五加河尾湮斷處，開一退水渠；此渠沿烏梁素海子，西至西山阻入黃河，計長約四十里。三大幹渠兩岸每十里開支渠一道，計一百十六道，長各約三十里。各幹渠與河斜交，須建迎水垻。各渠以上十數里，須跨渠建正閘。正閘上游向渠口之一岸建旁閘。旁閘下各開退水渠一道。旁閘上游迎水垻之下，須建滚水垻，使河水在異常盛漲時，得由滚水壩溢出，不須過量之水入渠。滚水壩下各開退水河一道。各支渠與幹渠相接處，須建陡口，以便封俵。渠口地面，每高於黃河水面，故各渠上游之地，須支引上一渠之水，而於本渠架飛槽渡。渠道既高於地平面，則區內低下之處，水流方向，必為渠道所阻，須於所阻之渠底，建暗洞以洩之，各幹渠之渠尾，須建尾閘一座。閉之則水面抬高，各支渠暢引澆地，啟之則以洩渠內之水。總計此渠工整理之計劃，需洋一千萬元。

2疏濬大河故道，為各渠之總退水，即可收各渠流暢之功，免淤塞之弊，計需洋二百七十萬元。

3沙河、義和、通濟、長濟、塔布五渠，皆因渠口不宜，致水流不暢，宜修挖連環口，縱橫銜接，合流互通，由沙河渠開口，經義和新口，轉新盛成渠，穿買方駿店，達通濟長濟，從義成公南入塔布出梢，計長四十里。下游連環渠口，由豐濟渠天吉太橋以上開口，入沙河渠，經義和渠下游，轉通濟長濟渠下游，穿長濟北部，過本渠德恒永支渠，達塔布渠下游，自塔布渠下游退水，入烏梁素海子，計長二百里。若此項連環渠挖建成功，所有各大幹渠下游之地，當能全部澆灌。現水利管理局已着手計劃開挖，惟需欵浩巨，恐難於最近成功也。

水利建設芻議

河套水利利弊及改革，本篇已略述，其關於全國黃河水利之建設，亦詳見於馮曦氏呈治黃河委員書，，除渠道之改建，詳見本篇外，玆就管理與建設之應改善者一述之。

（一）渠務管理法應即更張　按河套公有各渠，債務綦重，陳腐已極，年修年淤，糜欵滋鉅。且各經董黑暗重重，積弊難返，水利管理局亦無如之何。建設毫無，執事者爲貪功計，只有加丈青苗，倍收水租，增加民負之一法。故擬之官督民辦者，今已官不督，民不能辦矣。欲渠利有所建樹，勢非更改管理法不可。卽速派委員，澈底清理各渠歷年積弊，重選經董，更定新章，設務有力之民官合組監督機關，以司渠法，考成以建設爲準繩，升降以貪否爲衡斷，非如此不足以有爲也。

（二）渠背造林以固渠基　河套十一大幹渠，其幹共長一千二百五十里，設每里渠兩岸各植樹一百八十株，可造林四十五萬株，既可固渠基，又可增林產，調和氣候與雨量，又其副益也。

第七篇　教育

河套教育概述

河套地處邊陲，文化晚開，民七八年，雖已有學校之設，然皆爲一二豪強所把持，蓋以辦教育而紳士者也，鄉村中則僅有少數私塾，由各商號牛犋之司賬兼教習，至屬簡陋也。比年以來，教育已見猛進，民智日趨開明，各縣中鄉村城市，俱有小學之設；去年冬，復有私立河套職業學校之成立，開河套教育之新紀元；昔之以教育爲私產之紳士制，今亦漸斂跡。河套職業學校、卽河套中學改組而成者，創設於民國二十一年夏，創辦人爲劉篤仁，樊毓泗，張奐奎等，賃址於水利局前院（五原隆興長）、地址狹隘，計共有教室四所，學生寢室七間，教員室三間，辦公室三間；體育設備，僅有籃球及跳高架數事，至稱簡陋。學生共五十一名。附設小學有學生一班，教室賃住黨部偏院，校長劉篤仁，教務主任畢星垣，訓育主任樊毓泗，事務主任賈開祺，教員韓梅圃，于午風，呂子和，高叙五等，高兼小學部主任，韓兼圖書館主任，各均義務供職。去歲付捐得現洋五百元，今夏捐得千元，悉充經常及購置費。以一年成績核之，其進步殊堪欽佩。該校師生皆本吃苦耐勞之宗旨，黎明卽起，遍繞長街或郊外跑步，隆冬未嘗或輟，日常力役，若洒掃球場校院等，悉由師生協力充任，全校僅一差役一廚夫已。該校第一班爲師範科，第二班爲農科，第三班卽擬設商科，選授纂文、殊切河套社會之需要，該校今年春季，呈教廳立案，但以經費關係未准。該校爲情勢所迫，乃將學生分送各中等學校肄業，而宣告停辦矣。

一　五原教育概況

五原僻處綏西，教育素稱幼稚，而地方人士，向不注意及之，迨民國七年，始於城內設一小學，卽今之第一小學是也。十四年國民軍治綏，次第增設模範小學，第一女子小學校，福音堂，私立育德小學，亦於斯時成立，遂呈蓬勃現象。十六年國民軍西退，地方慘遭浩劫，學校因以受絕大影響。迄十八年，始恢復舊觀，並增設鄉村小學數處。二十年，學校隨開發西北之聲浪以俱高，質量均有長足進展。至二十一年縣立小學增至六處，鄉村小學添設十餘處，民衆教育館，增設圖書館講演所，平民小學亦附焉；河套職業學校，亦於是年誕生；全縣學生，計共七百餘名。二十二年，地方因驟賤傷農，教費無着，薪俸二三十元者，月僅得五六元，幸教界諸人，曉然於義之所在，皆能枵腹振奮，而現狀得以維持焉。茲就調查所得，略述於次：

教育局：昔勸學所之改稱也，局長一，督學一，事務員一，每月經費一百七十七元，現僅領維持費五十二元九角。本縣有一教界奇怪現象，各校校長由縣府委任，教員由教局聘任，一切調遣，悉聽之縣長：「教局形同虛設，局長有似傀儡。」該局附有教育用品販賣部，教局職員兼理文獻委員會事。

縣立第一小學校　創始於民國七年，校址在五原縣城，爲五原歷史最長之學府，現之旅外學生，悉由該校畢業；現有學生一百五十三名，分高級兩班，初級四班，爲一完全小學也。校長一，教員四，均師範中學畢業。設備粗稱完全，校舍教室，觀瞻殊壯，經費額定每月三百六十五元，刻僅領維持費八十九元」。

縣立第一女子小學校　創設於民國十四年，校址在五原新城，現有高級一班，初級四班，學生共一百二十二名，設備粗稱完善。校長一，教員四，月定經費二百零五元，刻僅領維持費六十四元。

縣立第二小學校　民二十，併私立育德小學校及縣立第一初級小學而改組者，成立初，殊費周折，蓋非党委曲步霄武裝接收育小，恐難有現今之成績。初任校長，即省党委曲步霄，現有學生一百四十九名，分初級四班，校址賃居冀晉豫同鄉會，校長一，教員四，月定經費二百八十九元，刻領維持費六十四元。

縣立第三小學校　創設于民十四，現有學生八十四名，校長一，教員二，月定經費一百一十四元，刻僅領維持費四十元。

縣立第二女子小學校　創設於民二十一，有學生十八名，教員一，月定經費四十二元，刻僅領十三元

民衆教育館　創設於民二十一，賃居於理門公所，設圖書館，講演所，及平民小學，有主任一，教員兼宣講二，學生六十四名，閱報所，圖書館，講演所，俱設於新城關帝廟戲台上，掛圖書報，差稱齊全，近又添置無線電收音機，極博民衆之歡迎。經費額定一百五十元，刻僅領維持費六十五元。

鄉村小學校　自民十六即逐漸設立，按全縣二十四鄉，每鄉例設小學一處，惟因連遭天災匪禍，間閻凋敝，學校無形停頓；現僅于富庶鄉村恢復小學九處，每校有教員一人或二人，均經教局檢定及格，並受訓練者充之；學生十餘至四五十名不等，設備均極簡陋，經費額定每月二十元，刻僅領十三元，茲就現有之鄉村小學，表述於下：

五原鄉村小學校概況表

學校名／項別	地址	學生人數	教員人數	設備	附記
第一鄉立小學	郞家地	三十四名	一人	交通便利設備粗可	郞家地爲第五區主村經費見前
第六鄉立小學	梅令廟	二十五名	一人	全校簡陋	
第十二鄉立小學	烏蘭腦包	六十六名	二人	鄉有學董襄助爲全縣小學冠	烏鎭爲第四區主村郵電便利商務較各村發達
第十六鄉立小學	蔡家地	十三名	一人	簡陋已極	
第十七鄉立小學	郝頭兒圪堵	四十八名	二人	校具毫無	由私塾所改因地制宜頗得農民信仰
第十九鄉立小學	什拉特拉村	二十五名	一人	校舍僅茅屋三間	
第二十鄉立小學	同義隆村	四十一名	一人	地方素以富著學校設備較佳	
第廿一鄉立小學	協成村	二十七名	一人	校舍教具粗稱完善	爲第三區主村鄉民尚知扶殖教育
第廿二鄉立小學	二楞圪旦	二十八名	一人	簡陋	
合計		三百零七名	十一人		

私塾　私塾歷來到處有之，不獨各鄉村中「牛犋」司賬先生，兼充教員，即隆興長鎭市中，亦有十數童生秀才，由內地來，設教糊口；教科書多以方言雜字，千字文，三字經，百家姓，四書，詩經，書經

等爲主要教材，多不講解，一味囫圇吞棗；間有教授珠算尺牘者，亦難應用實際。學童小者七八歲，大者十七八歲，均各置小坑書桌，排例坑內，團聚訓讀，極不衛生。每一私塾學童人數，由四五名至四五十名，每年每人交納學費三五元十餘元不等；且有糧食作價頂學費者。按私塾所以能存在，且徵有發達者，一因民智未開、腦筋固執，一般人以私塾較學校爲佳也。一因地方財政拮据，不能廣爲設立完善小學，以致無法取締私塾也。又因向者辦學人員敷衍，學校教員成績不良，難得社會信仰，使其子弟捨私塾而入學校也。邇者教局對私塾已在計劃改革醞釀中。

小學教師　總數三十三人，師範大學畢業者一人，舊制師範新制高級師範畢業者六人、短期師範畢業者三人，大學中學畢業者十六人，檢定訓練合格者五人，未經檢定者二人。籍貫以山西、河曲，定襄，河津爲多，次爲山東，河北，綏省薩縣等處，年歲最大三十五歲，最小二十歲、平均二十六歲。薪俸額定專任二十八元，兼任二十六元，鄉村小學教師十二元。工作每週担任二十小時至二十七八小時，兼管訓育，工作十分忙碌。衣均制服，食爲糜米，物質享受殊儉也。

小學生　年齡最大者爲十八歲，最小者六歲，平均爲十三歲。資質以地理關係，類多聰穎，愈小愈佳，漸長則爲社會薰染，漸趨梗頑，愈益愚笨，故執教者多以紅柳（河套特產，質堅直，色光潤，小者可編製農具，大者當柴燒，亦難入皂），箠之。體格普通均健壯，善騎馬，善泅水，且耐風寒，惜不注意衛生。習慣多喝冷水，吃零食，冷則衣裘，熱則赤體，馴至年歲愈大，漸成病弱之軀，懶怠似若天性。累教不記，累訓不悛，衣物書籍，不加整潔，其家境清苦者，較爲勤勉，成績較他處有過之無不及；蓋河套富家，生活異常墮落，其子弟之惰，亦環境使然也。

小學課程概況　初級每週教學時間，國語約佔十分之三，算術約佔十分之二，其餘黨義，自然，社會，體育，美術，珠算，工藝，音樂，共佔十分之五。高級則加授歷史，地理，衛生等數科，而國語，算術，教育時間，較初級略減；上下午均定有自修及運動時間，課外作業，定有習字及日記。自十年暑假後，加授黨義；十九年暑假後，停授英語；教科書多採用商務書館出版之新時代小學用各教科書，上課時間爲鐘點制，教學方法，多用啟發式，亦參用自學輔導式，或注入式。

小學訓育概況　訓育目標，遵照中華民國教育宗旨，並參照各校校訓級訓分別訓管之；實施方法獎勵的，為言語獎勵，物質獎勵，記功等是也；懲罰的為言語懲戒，靜默自省，記過等是也。惟本縣小學生，其家長多愚昧無知，故未受過家庭教育，個惰狡詐，習慣頗多不良，矯正殊感困難，遇不得已時，施以體罰，責以戒尺。

小學畢業生概況　本縣小學生入學讀書，游輟時讀，初級畢業者，為無多，高級畢業者，更屬有限，以故興學十五年之久，縣立第一小學高級，僅畢業七班；第一女子小學高級，僅畢業一班。畢業生升學者約十分之三，以家境富庶有志前進者為多；次即貧寒子弟，年額地方津貼補助者，在家帮工務農者，約十分之七。家庭原多業農，父兄知識淺薄，不願子弟深造，加以距綏包遙遠，路途不靖，出外升學，頗不放心，多於子弟小學畢業後，即在家帮工務農，或充牛與中司賬先生；無業閑蕩者，間亦有之。此外學力不足，浮華有餘，游手好閑，勤吃懶動，亦有旅外升學半途輟學而歸者，僅學得皮毛一點，即詡詡自得；遇事喜歡發表意見，而一知半解頗遭社會之不滿，人多以畢業生嘲之，而彼輩則殊不計較也。

學齡兒童　本縣因連年匪禍、秩序未定，關於學齡兒童，從未確實調查，據各方調查，略數為六千八百七十七名；入學兒童總數為八百九十五名，（男七百五十七名，女一百三十八名、縣立小學五百八十八名，鄉村小學三百零七名）失學兒童總數五千九百九十二名。

教育經費　二十一年度額定全縣教育經費，為二萬一千四百七十六元，教育局民衆教育館及縣立各小學，為一萬五千七百八十八元，鄉村小學為五千六百八十八元，現僅領少數維持費耳。經費之來源，由縣政府飭財務局由地方款項下撥給，不特難以獨立，且不可靠。

教育建築基金　民國十八年墾務第五分局丈放隆興長街基地，經前教局長辛崇業交涉，由該街基地價每百元附加一元，為地方學校建築之用，組有委員會保管之，迄今應徵收五千餘元，由墾務局撥交委員會四千元，十九年縣立一女校，費兩千餘元，所餘兩千餘元，交由委員會保管，乃去年竟因此款掀起軒然大波，因此款被私人私自挪歸己用，經官方一予糾察，始將該款追交歸還，由縣府保管矣。

（二）臨河教育概況

臨河原隸五原西區，教育更屬落後，在未設治前，民國六年間，強油房、丹達木獨等處，有小學數所，爲臨河設學之濫觴，嗣以迭遭兵燹，旋興旋廢；自十四年設治，經局長蕭振瀛積極提倡，在縣城設小學一所。十五年在四區各設小學一所。十六年教育局成立，又設立高級小學，初級女學各一所，均建築校舍，粗具規模。十九年改縣治，各區小學逐漸增設，縣立第一模範小學，亦於斯年成立，校址在縣境東關；時值豐登，地方富庶，教育頗呈蓬勃現象；惟以教育局長多隨縣長以去留，致無足進步。近年地方頗注意振興，廣爲設立鄉村小學，陝垻鎮天主堂私立普愛小學，亦遵章立案；惜乎紳士稍涉封建思想，動輒排外，而教界人士，本多客籍，又每以意見不同，眼光狹淺，互趨極端，紳董派李元穎等，與薩縣派高建章等，積不相能，遂於二十年演有嗾動綏省之臨河大學潮，學生毆打校長局長，縣府拘押鬧事學生，種種怪象，不一而足，經省政府省黨部雙方派員澈查，薩派走開，乃告解決；最近表面雖稱風平浪靜，而實際暗潮仍多，苟教界人士不迅爲覺悟，則危機仍不免長期隱伏也。茲將調查所得，略述梗概如次：

教育局　教育局設於縣城內，賃居民房，局長一，督學二，事務員二，書記一，全局經費每月二百元，掌管全縣教育，頗能運用權力；自李元穎接任局長後，日有起色，局內附設教育用品販賣部，由事務員負責管理，文獻委員會亦設該局內，局長充文獻委員長，徵集該縣文獻事項，刻已刊有臨河縣志。

縣立第一小學校　設於縣城，創立於民國十七年，設備差稱完善；學生一百零六名，分高初兩級，高級兩班三十四名，初級七十二名；在校膳宿者二十餘人，每月約費洋三元；校長一，教員五，月薪均三十元，每月經費三百八十二元，全年臨時費一百五十元，雖亦少感困難，但尚無欠薪之虞。

縣立第二小學校　設於第二區屬之石蘭機村，距縣城一百一十里，成立於民國十九年；校址租賃民房，設備較差；學生人數共二十五名；校長一，教員一，月薪均三十元，每月經費九十六元，多持財務局之攤款收條，向各村催索，始可領得款項。

縣立第三小學校　設在第三區主村陝垻（今名太安鎮）城內，賃居民房，極爲狹窄，距縣城六十里，通郵電，成立於民國十八年。時當地天主教勢焰殊烈，於居民信仰殊深，設有教會小學，一切由校供給，學生甚衆，以致創辦縣立小學，困難萬分；經校長高建章以摩罕默德創教之精神，與教會以武力爭教權，該教會神父曾宣稱縣立學校為「魔鬼學校」，經校長高建章指摘教會學校為「洋奴學校」，當街宣傳，「中國人千萬不要上當」，雙方互貼標語，極不相能，且學生之入教會學校，有神父為之庇蔭，供應亦備，而入縣立小學無武力保障，設備亦簡，高建章乃大刀闊斧，甚借手槍以抵禦欺侮入縣立小學學生者，一方急謀學校設備之完善，於是學校基礎堅固，學生日多，兩年間聲譽大振，高校長殊有功焉。二十年春，校長易人，稍見退步，是年冬，現任校長李生莘接辦，銳意整頓，添設高級，迄今立生共七十八名，地址已覺不敷，高級一班十四名，初級三班六十四名；校長一，教員三，薪俸均三十元，皆師範中學畢業；經費每月一百九十元，尚不拖欠；校址已向縣務局撥留街基地五畝，以該埧形勢重要，人烟稠密，該校應速建大校舍也。

縣立第四小學校，設在第四區主村楊家河子之楊櫃，（今改名為平政村）可通郵政，地方富庶而人多忽視教育。四小校於十九年四月成立，歷任校長，多事敷衍，且因環境惡劣，殊少成績；迨二十一年八月趙士英繼任校長，力加整飭，朝氣蓬勃，得未曾有，設備校舍為臨河冠；學生共四十八名，分初級三班；校長一，教員二，每月經費一百三十六元，尚可按時領到；倘有不濟，由第四區公所借給維持費，亦一好現象也。

縣立第一女子小學校　設於縣城，民國十六年由設治局長呂咸指導成立；原僅初級，教局多忽視之；二十年由教局長李元楨及校長王君提倡，增設高級，為臨河完全女子小學；學生五十名，高級一班九名，初級三班四十一名，校長一，教員三，每月經費一百六十六元，臨時費二十元，頗感困難；校舍不敷，設備簡陋，在臨河富庶之區，殊覺美中不足也。

縣立第一模範小學校　設立縣城東關，創設於十九年，賃居民房小院一所，初任校長，煞費經營，迨後不三年而六易校長，自難以言成績也。學生八十六名，分初級四班，校長一，教員二，每月經費一百三十六元，臨時費五元，能否領到，惟校長之能力是視，設備不完，校舍狹窄，急應速購校舍，添置教具，以謀名符其實也。

縣立第二女子小學校　設於陝壩鎮，賃租民房，極爲狹小，不敷應用，創設於民國二十年冬，原爲太安鎮女子小學，經費由太安鎮太安鄉共同担負，嗣以籌款困難，於二十一年一月，改隸教育局後，始改今名，較有進步，學生增至七十二名，分初級兩班，學生因家長頑固，類多綑足，留辮，急宜速加強迫解放，校長一、教員二，月薪均三十元，每月經費三十六元，能否領到，亦惟視校長能力如何也。

鄉村小學校　臨河縣屬各村，多極富饒，村立小學，本應密如羅網，奈地方人士向即蔑視教育，多付缺如：近年經教局之督催，全縣二十四鄉，已有十二鄉成立，然各村長副，往往借籌學校經費之名，而從中漁利，以少報多，致使鄉農視設立校爲畏途，或謂有如添一收稅機關也，亦云怪矣。茲將各小學概況列表如下：

鄉村小學概況表

學校名	所在地	學生人數	教員人數	設備情形	附記
永興村立小學	五大股	十二人	一人	設備尚可	經費由各鄉担負全年二百元
永和村立小學	勝包壕村	十八人	一人	粗可	
永康村立小學	丹達木獨	十五人	一人		全年經費二百元
永嘉村立小學	閻鎮附	十六人	一人	較善	同上
永昌村立小學	土默地	二十人	一人		同上

慶樂村立小學	通元成	十八人	一人	簡陋	同上
太照村立小學	大發公	二十九人	一人	頗完善	全年經費二百二十元
太華村立小學	上營會	二十三人	一人	簡陋	經費全年二百元當地有教會小學一所
太寧村立小學	勝家營子	二十五人	一人	較太華少強	經費全年二百元
太照村立小學	烏蘭淖兒	二十七人	一人	粗具規模	同上
平化村立小學	三道橋	十五人	一人		同上
平成村立小學	三淖村	二十七人	一人		同上
合計		二百四十五人	十二人		

私立普愛小學校　設於陝壩鎮（即太安鎮），係天主教私立之教會學校，創設於清宣統年間，初創時煞費苦心，入學者予以種種優待，久之，人乃趨之若騖，該校設備極佳，有西洋化之概，課本多採經典詩詞，學生無由索解，然亦不加解放，訓管又頗嚴厲，學生思想身體俱爲之禁錮，致無絲毫活潑氣象，教師多教會司鐸，外國人中國人皆有，於教育素無研究，且乏辦學經驗，是以設教垂二十餘年，而其學生，殊罕成績：二十一年，經司鐸康國泰銳意整頓，力加改善，添聘教員，遵章以私立小學呈准立案，現有學生一百六十七名，分高級一班十六名，初級五班一百五十一名，因該校供給書具，學生稱便，並家長多篤信耶穌，咸願送子弟入該校攻讀，此其所以較各縣立小學校學生爲多也。校長一，教員四，內有比利時人，經費甚充裕，開支無定數，校長教員，均由教會供給膳宿，薪俸每月均不過二十元，公雜

費開支若干，向教會支領若干，該校今後倘能延聘優良校長教師，依照小學規程，本諸現代教育思潮，積極整頓，則成績之佳，可預卜也。

私立普愛第二小學校　設於第二區屬之下營會，（今名太華村）天主教堂內，距城六十里，由天主堂主持一切，性質與陝壩之普愛小學同，蓋即其支校也。學生一百二十二名，分初級四班，設備尚好，較陝壩略有遜色，校長一，教員三，程度平庸，精神欠振，亦因待遇太薄所致耳。女校亦另有一所，設備不佳，學生五十八名，坑坐誦經之小女生居多數，餘初級二班，教員二人，皆爲貞女，教授訓育，均欠研究，斯校宜應設法整頓，否則將爲潮流所迫而漸淘汰也。

私立成德小學校　設於第三區屬之下營會村，賃租民房三間，由毛維周等所創辦，學生坑坐，地墻上掛黑板，學生十三名，教科書各異，教員一，教學尚勤，薪俸月十數元，該校距學校程度尚遠，學童均富室；現係一改良私塾，若能以訓練少數同志子弟之旨，教育社會人士之兒童，擴大眼光，多爲籌積經費，敦請教師，着實教訓，新建校舍，完整設備，則結果自必宏偉矣。

私塾　私塾在臨河不甚多，而忽設忽停，又無確數，現共計約十五六處，每處學生多則二三十名，少則四五名，每年學費由三元至十元，多以糧食大烟作抵，校舍幾皆黑室兩間，教員與學生共居，炕上置桌，講書判字，擇吉日寫喜聯，手持長烟袋，搖頭擺腦，一望而知是一「冬烘」，教課書多係百家姓，千字文，三字經，方言雜字，千家詩，四書五經，惟視教師之程度而定，但囫圇吞棗，所見皆是，此急待教育局之改良取締也。

教育經費　全縣教育經費，歲入一萬七千八百元，其來源由徵收局代征學捐七百八十元，本縣牲畜附加二千零二十四元，地方攤款一萬二千三百七十六元，各鄉村攤款項下，二千六百二十元。歲出一萬七千八百元，計教育局二千四百元，閱報所一百二十元，縣立學校一萬一千二百五十六元，鄉村小學二千六百二十元，煤炭補助費三百元，臨時修繕費四百四十元，旅外學生津貼七百元，督學下鄉旅費一百八十元，近年地方屢遭兵匪，年成歉收，教育經費頗感困難，雖有時略加折扣，總能設法籌劃。

小學教師　全縣小學教師，總數爲三十七人，大學畢業者一人，文史專修科畢業者一人，師範畢業者六八，中學畢業者十五人，短期師範畢業者五人，檢定合格者五人，高小畢業者四人，籍貫以山西包頭爲最多，次爲薩縣山東及臨河等處。年歲最大者三十六歲，最小者二十歲，平均二十八歲。薪俸縣立小學教員，額定月均三十元；鄉村小學教員，月薪二十元，（公雜費等均在內）。每週授課，二十小時至二十七八小時，並任訓育，頗辛勤，逐日起居勞苦，飲食多白麪肉菜，薪俸不欠，生活亦稱舒服。

小學生　年齡大者十九歲，小者七歲，平均十三歲，因父兄多來自內地各省，暨當地水渠縱橫，堪使人道，天資大多聰慧伶俐，尤以幼少者爲佳，衣食因地方饒富，並不簡陋，對於功課能致力攻讀。惟近年受學潮鼓盪，稍染囂張，故二十年演出毆打校長攻擊教育局長之趣劇。小學畢業者，大半赴綏遠包頭等處升學。

學齡兒童　全縣學齡兒童爲一千五百二十一名，入學兒童六百八十六人，男五百五十四名、女一百三十二名。失學兒童八百三十五名，男五百三十二名，女三百零三名。至私塾學齡兒童，約有一百五十名。

（三）安北設治局教育概況

安北地處僻壤、文化晚進，教育事業，殊形落後，益以地方紳董，向不注意，罔知振刷，歷任設治局長，率多昏庸，不加提倡，以故設治十年來，教育極不發達，民智亦屬簡陋，全境小學號稱數處，而城內之第一男校，第一女校，校舍不完，設備不齊，宛如兩座破店，其他設立於鄉間者，其幼稚不問可知矣。民國二十一年冬，設治局長齊壽康到任後，鑒於教育爲民族命脈，關係國家興衰，欲推進政治，當以振興教育爲急務，遂對於已有之小學力加整頓，擴充校址，增置設備，實行強迫教育，令飭各鄉保送小學生二名，入縣立一校；並在鄉村設立小學，今已由三處增至七處；惜乎地方財政困難，教育經費拮据，各學校薪工以六成折扣，尚不克按月發給，使辦學者，常以無款爲辭，敷衍有由，若不釐籌的款，任其頹萎，則教育事業，振興無期，地方文化，發展無日，是尤在當局與紳董特別注視，竭力擘劃者也。茲將全境教育概況調查，縷述於次。

教育局　設在縣城內，與設治局對門，賃租民房。自民國十四年設治，始設教育局，第一任局長楊嗣：

瑞，將局址設其局內，公私含混，諸事敷衍，對於教育，無所建樹，於二十年，以溺職被撤，繼任者賃租局址，逐漸整頓，較前稍有生機。局內設督學事務員書記各一人，該局兼文獻委員會事宜，每月經費一百元。

縣立第一小學校　在城內西南隅，創設於民國十四年，校址係佔用無主民房，地方狹小，屋宇腐舊，除有殘缺不齊兩教室外，餘僅有教員夫役住室兩間，校內一切設備，均屬缺如，驟視之，儼然留人小店一座耳。經費每月六十元，校長一人教員三人，學生四十八，內分高初兩級，高級一班初級三班，而高級一班僅有學生八名，自設治局長齊壽康到任，為振興教育計，一方將附近該校之關帝廟，撥作該校宿舍；一方面強令每鄉保送學生二名，故該校去歲前季，學生竟增至七八十人之多，頗極一時之盛；繼因地方財政困難，教育經費拮据，領薪極難，學生之設備全無，亦不能稍事購置，教者感生活之枯苦，學者覺學校之無趣，及至去年後季，各鄉學生，因耕農忙，均未到校，現在該校零落景況，依然如故。

縣立第一女子小學校　附設於教育局內，民國二十年暑假後成立，學生三十八人，班次均係初級，所有課程，除由教育局職員分別担任外，並聘有女教員一人，校址亦係賃租民房，一切設備，均極簡陋。

縣立第二小學校　設於第三區扒子補隆教堂內，距縣城九十里，原為該地耶穌教堂內教會小學，及蒙古小學校，創設於前清光緒三十二年間，牧師費安何者，設學傳教，煞費苦心，嗣後教會衰頹，學校不振，民國二十年暑期內，教育局長王時英，與教會商妥，改該校為縣立第二小學校，教員一，學生三十七名，均係初級，校舍完整，設備粗具，樹林蔭依，臨民復渠，風景幽雅，為全縣冠。每月經費二十元，拖欠數月，難於領到。

縣立第三小學校　設於第二區主村賈全海，距縣城二十五里，原為私塾改為小學校者。校舍不合，設備寥寥，教員一，學生二十四名，每月經費十八元。

縣立第四小學校　設於第一區之五糧坮旦鄉，距縣城二十五里，賃租民房，宛若私塾，教員一，學生二十名，每月經費十五元。

縣立第五小學校　設於第三區之鄧村店鄉，距城七十里，附於村公所內。校具教具，均付缺如，教員一，學生十二名，每月經費八元。

縣立第六小學校　設於第三區之黃腦樑鄉，距縣城七十四里，設備毫無，校舍茅茬，教員一，學生十八名。每月經費十五元。

縣立第七小學校　設於第二區之張得祿灣鄉，距縣城二十四里，山莊中設學，一切均簡陋不堪，教員一，學生十七名，每月經費八元。

教育經費　該縣教育經常費，以牲畜捐地畝攤派爲的款，年約四千餘元，其他補助教育者，尚有附加學捐，駱駝學捐，以及歷年之烟畝罰款附加，年約二千餘元，均未一一撥作振興教育之用途，以致雖有經費，而仍極困難。去年烟畝罰款，早已全數收齊，地方教育附款，約可分配兩千四五百元，以之修理各校校舍，購置一切，當能有相當之補救，在此地方教育亟待改進之際，既有專款可得，不容再事延宕，是以望地方當局，即紳董妥速撥款整頓教育，以謀發展也。

教育改建芻議

河套教育之落伍，詳見本篇，茲略述其亟應改革之數事，以爲司其事者之參考焉。

（一）整頓鄉村小學　河套各鄉小學，落伍異常，平均一鄉所轄數十里內，竟未能設一小學，失學兒童十有七八，城市小學雖欠佳，然較之鄉村小學尚差強人意，故亟應提倡創立鄉小學，整頓舊有之私塾式小學，以謀補救失學之學齡兒童，而提高民智。

（二）提倡蒙旗教育　套地蒙漢雜處，蒙民知識尤極幼稚，然地既邊陲，強鄰虎視，以此無知之民，在在俱落人後，不特難固邊防，且易受人煽動；不僅此也，爲蒙漢切實提携感情融洽計，亦須亟設蒙旗學校，授漢人以蒙文，授蒙人以漢文，則民族國家利實大焉。

（三）教育經費獨立　教育而無經費，直同無米爲炊；今河套教育，即陷於此種困境。若五原教育人員月領六元而不易，維持現狀猶難，更勿論整頓邁進矣。考其原因，一因財政拮据，一因司財政者把持所致也。欲杜此弊，即嚴格實行教費獨立。

（四）取締教會學校　教會學校爲文化侵略之工具，夫人而知之，而以人民知識幼稚如河套者，受害尤烈，蓋其根深蒂固，人民信仰殊堅，反對現代教育，不遺餘力，愚民經典，奉爲神聖，民智受其蔽錮。曷深痛惜，故亟須嚴厲取締之也。

（五）實行強迫教育　河套失學兒童，十居其九，一般鄉民，咸令其子弟，割草牧牛，而不知送之入學，是以設教將近十年，而地方文化落後依然，故欲提高河套文化，必須實行強迫教育。

第八篇　墾務

河套墾務沿革

我國西北實業，首在墾殖，河套之墾殖，始於清季：蓋有明之世，蒙人封閉自錮，利棄於野，清初對之，又採懷柔政策，對漢人私墾蒙荒，嚴加禁止。迨清末葉，漢人與蒙旗私訂草約，始得任意私墾，械鬥之風，殘殺之事，極熾極夥，官蒙皆無如之何，於是地遂以闢；晉陝人民，遂漸聚集。光緒二十八年，張之洞岑春煊諸撫，在晉設豐寧押荒局，嗣經岑條議擴充蒙邊，清政府遂任命貽穀爲督辦蒙旗墾務大臣，豐寧押荒局併焉。惟蒙人故步自封，抗墾風潮迭起，幾費唇舌，伊克昭盟之達拉特杭錦兩旗，始稍就範；且庚子各旗賠教會款，以地抵償，商之教士，備價贖回，當以公家無款，乃奏請設立公司，官商合辦，斯時各旗始相繼報墾，渠務大興，闢地千里；旋貽穀以被謗去官，墾務因之一蹶。洎至民國，設墾務總局，旋改爲墾務督辦辦事處，嗣又改稱綏遠墾務總局，五原設第五分局，臨河設第六分局，辦理河套墾務事宜，際此匪患肅清，開西北之呼聲中，墾務當蒸蒸日上也。

各旗報墾始末

（一）達拉特旗地　達旗地可別爲二；曰放墾地，曰永租地。放墾地曰四成地，計二千頃，招戶承領，以備歸償教案賠款者也。後派員勘丈，僅千二百二十五頃，遂又補放長勝渠之地而足之，是曰四成補地。永租地者，由墾局每年招租，征收租錢，其地租而不放，示地附蒙有，由墾局任意開渠，渠至何處，卽墾至何處，不收荒價，惟課歲租，所收租銀，公家七成，蒙旗三成；租銀計分四等：上地每頃五十元，中地四十元，下地三十元，民元由官方改歸民包。十一年，歸源水利公司承包豐濟永濟剛濟沙河義和諸渠地，長濟塔布通濟諸地，統包於興殷社。十七年改歸墾務局管理。放墾地，在十四年，放墾河套地五千頃，地分三等放領，上地每頃百二十元，中地百元，下地八十元，次年升科，每項年徵官租一元八角，歲租一元二角，官租歸公，歲租歸蒙。十七年又放墾塔布地二千頃，地價分五等：上等每頃一百二十元，中上一百元，中等八十元，下等四十元，草灘地十元。又達旗報効，沙河義和渠間地四百四十頃，名曰五原城基地，現已完全放出，每頃地價二百兩至六百兩。

（二）杭錦旗地　杭旗放墾辦法，屢次變更，在該旗放墾之先，原擬照達旗辦法，永租不放。所收地租除提取渠費二成外，餘由官蒙均分，旋復改為每歲由官方包納，杭錦旗租銀六千兩，公費三千兩；澆地多寡，蒙人不得過問；地租悉歸官方。嗣又改為以杭旗地四千頃，歸墾務公司承領，改徵押荒，兼收歲租：此項地畝未放出以前，由公司租給民戶，徵收短租，每年每頃自二十兩至三十八兩不等；後分作數次大放，所收荒價及歲租，除提取二成渠費外，餘以一半歸蒙，一半歸公。荒價每頃自十兩至一百兩不等，歲租每頃自一元至二元二角不等：前後共放東西兩巴噶地四千一十八頃三畝；應徵荒價三十萬五千二百七十二兩。民十四年，又報出河套巴噶地三千二百餘頃，放墾地價，上等地每頃百二十元，中地百元，下地八十元。所放之地，不分等則，均以丈放之次年升科，每頃徵歲租一元二角，官租一元八角，歲租歸蒙，官租歸公。

（三）為拉特西公旗地　西公旗報墾地，在河套什拉胡歲素及紅門圖二地，計地千七百頃，押荒分四等：上上地每頃一百二十兩，上地一百一十兩，中地一百兩，下地九十兩。歲租每頃一元二角至二元不等。十六年報墾佘太召地一千零五十頃。十八年又報墾圖蜜濟狼山灣等地千三百頃，地價八十元至二百元不等。

（四）為拉特中公旗地　中公旗報墾爲閑以力更地三千三百頃，現多未丈放。

各旗已報墾及丈放地畝數

（一）達拉旗　放安北境內之四成正地，一千二百二十八頃．又放安北黃腦樑上下買不色八拜水道燕安河一帶之西成補地，一千四百二十頃，內有上地八百零八頃五十六畝九分，上次地三十八頃二十三畝，中地四百零四頃七十五畝五分，中次地一百六十八頃四十四畝六分，又放安北中和渠西南兩岸至東北杭達兩旗交界之永租地，可丈青苗二千頃，又放東至五臨豐濟渠，南至杭錦旗界，西北至烏拉特旗界，北至烏加河南岸之河套地五千頃，又放安北東至達旗之四成補地及五加河渠地及烏梁素海子為界，南至達旗合少公中，西至杭錦已放地，西北至永租地，北至四成補地之塔布河地二千頃，又放五原城基地四百四十頃，又放五原隆興長之隆興長街基耕作地二百餘頃，又放臨河黃土拉亥河流域之黃土拉亥河贍教地一千一百餘頃，但已放者僅一百四十頃，未放者尚有九百六十頃。

（二）杭錦旗　放臨河杭蓋中東巴嗬，東北至達拉旗西界，王善與渠南界，黃河又兩巴嗬西之黃托勒蓋河東界，豐濟河西界，黃托勒蓋河，南至黃河北至達旗之中東巴嗬地，四千一十餘頃，又安北境內之河套西巴嗬地三千二百頃。

（三）西公旗　放五原境內之什拉胡蘆地一千七百三十頃，又放臨河境內之狼山瀞圖蜜渾地二千頃，但已放者一千七百頃，未放者三百頃，又放安北境內之佘太召地一千零五十頃，但已放者三百一十九頃，未放者七百三十一頃，又放安北境內之蒿香召地四百八十餘頃，又放安北境內之補蓋木獨地八百餘頃，又放安北境內之王幼女子地二百五十頃，但已放者二百零三頃，未放者四十七頃。

（四）中公旗　放安北境內之烏關以力更地三千三百頃，迄今尚未放出，又放安北境內之佘太召地八十頃，又放安北固陽間之小佘太地一千頃，已放者七百餘頃，未放者三百頃。

上列各數係根據去年上半年調查所得塡寫，去年六七月間沙河渠通濟渠豐濟渠達賴和碩公中綠各地，亦已由盟旗報墾，但迄今尚未丈放，僅初由墾局派員收界訖，玆列各該地四至如左。

沙河渠地：　東至達旗已放五原城基地，西至達旗衛皂火渠地，南至杭旗已放元亨利貞四段地，北至五加河。

通濟渠地：　東至達旗已放四成補地，西至達旗已放義和渠地，南至達旗已放長濟渠地，杭旗已放元亨利貞四段地，北至五加河。

豐濟渠地：東至達旗新舊皂火渠地，西至豐濟渠，南至杭旗已放元亨利貞四段地，北至（未詳）。

達賴和碩公中地：東至西公旗已放地，西至杭旗已放地，北至達旗已放教堂渠地。南至（未詳）。

現行放墾手續

（一）報墾　蒙旗放墾必先由官廳厚幣甘言，加以勸導，始克慫然允報。報墾後，蒙方指明四界，由官廳派員收界，將坐落，面積，里數，四至處所，分別查明，除山河道路不堪耕種之地外，實有可耕種之地若干頃，勘查明確繪具圖說呈明核示後，即由收界人員詳實擬定地畝之荒價，及應分之節則；所收荒價，提三成爲經費，餘三成五歸官庭，三成五歸蒙，此蒙旗報墾手續之大略也。

（二）丈放　墾地經我勘收後，即由墾務局丈放，熟地先儘原地戶承領，限一個月內掛號，逾期不領，即准由地鄰或其他人民承領。生荒先儘掛號在前者認領。每頃收掛號費一元，但限制每人領水地不得超過二十頃。領地荒價，于領墾時先交三成，其餘分兩次交清。交清後即發給部照，是爲正式地契。

（三）升科　報墾地畝應行啟徵官歲各租，官租歸公，歲租歸蒙，租金等則，視地質優劣，由收界人員查勘情形規定之。熟地以領地之第二年啟徵，荒地以領地之第三年啟徵。

墾務之利弊

河套墾務機關，計五原有墾務第五分局，臨河有第六分局，直屬綏遠墾務總局，辦理河套墾務；一切丈放墾地，催收荒價、歲租等，均由繩丈委員，催款委員辦理之，但歷來殊多不滿人意處。領地本定有專章，多寡有所限制，乃事實所示，領地者多屬大地主及來套服務各機關者。久且造成耕者無田之不良現象，而形成地主農奴兩大階級。一般貧農，固多係出賣體力者；即備主亦多爲佃農。蓋河套佃農，多自購牛犋，租大地主之田地以營生，終年辛勞，以四六或三七與地主分糧，地主則坐食其利，其所以不能領地以耕者，實墾務人員有以使之。何者，因貧農與丈放委員，不易接近，遑論領地；故河套小農，多春來秋往；以其地權未得，餘資豐年不過百十元，雖可領地頃八十畝以自活，然委員以無渠水可撈，或托故推托之；縱有可賺三五頃而亦討得委員之同意矣，亦無開挖支渠之資力；欲個渠道便宜之熟地，則又格於權勢，未易到手；不得已，撥資歸去矣；此實河套呼賊開發十餘年而未奏實效之一大原因也。又自清季放墾以來，對蒙旗應交押荒銀價，未能如數付給，故河套迄今私墾蒙地甚多，蒙人不信官方，私將田地放租於漢人，此類包租蒙人地者，租價甚廉，田數又多，三五百頃輒以三五百元即包得，主權闕後，設備爲難，亦一開發上之大障碍也。

失敗之山東移墾

山東移墾河套，自民十四年始，主其事者爲已故之王鴻一氏，王幾經周折，請准魯省府，由魯實業廳撥款七萬元，又分令魯省各縣每縣攤款七百元，計共十四萬元，但當時僅領得二萬六千元。十四年來套者，計約六百二十三戶，惟以經理不善，遷爾抵套，乃事先既無計劃，遂生種種波折，房舍也，種籽也，田地也，一無所有，乃暫借住於五原水利局東院，日食無粟，羣情梟皇；綏省當道速電河套巨紳王同春，撥地貸糧，俾爲安頓；王氏爲先借出糜米若干石，各渠地二百五十頃，衆情稍安。嗣王主任鴻一益五，令墾民七百五十戶駐臨河，（內有留在五原之魯民百餘戶）分到移民地七百五十頃，但以無資開渠，有田坐嘆，年所耕地不及五分之一，而墾所因魯省政變，經費無着，無善法以處之，墾民遂以困於飢寒，回魯者有之，別圖生計者有之；（現河套之賣零食者，魯人甚多），迄十五六年，僅存四五百戶矣。現狀維持，端賴王鴻一氏私人借貸，前後合計共兩萬四千元。其事務所，十五年設於五原，十六年移駐臨河，十七年因匪再回五原。經費無着，諸事無法辦理，王氏死後，益陷於無法收拾，去歲移民地除四百五十頃外，悉充作屯墾之用，即此四百五十頃，亦因未交地價，墾局聲稱撤地矣。大規模之移墾，有名人爲之倡辦，當局爲之贊助，而成績乃如是，言之殊深浩嘆焉。茲略述其現狀如下。

現存移民四百五十戶，有地四百五十頃，但墾務分局以地價未償，扣留百餘頃，移民均集中於五原五分子村，臨河爲泥古廢村（魯禮村），同元村（魯仁村），後隆長（魯智村），三村中。（按魯移民十四年來套，分駐八村，名曰仁，義，禮，智，孝，弟，忠，信，均冠以魯字，示不忘本云），渠道荒挖五道，旋即湮廢。去歲經事務所借得四千元，在現今之移民地接剛濟渠東稍，新挖一渠，長三十里，將從新分配墾田：人各一頃，惟以欠債孔鉅，——計欠田價四萬三千元，已交納千元，（計四百五十頃地共洋四萬五千元），流通券一萬伍千元，——規定移民須交納地價，以免墾務局撤地另放，諮屯墾分地之設撤；然移民每年田地生產，僅足自活，力殊有所不及，事務所亦無力代償，故魯移民之現狀維持，亦殊難樂觀也。

記者考察魯省移墾失敗，有下列數因，謹列述之、以爲來套移墾者之前車鑒。

（1） 時局影響 按魯移墾倡自王鴻一，王，魯之聞人也，人貲言重，且得當時西北駐軍馮玉祥之贊助，事極易辦；惜自領得二萬六千元移墾費後、魯省政府，通緝王氏，王匿居租界，未敢露頭，移墾經費無着，馴致預定計劃，未能依序進行，此其失敗原因之一也。

（2） 經費無着 移墾事雖安插有序，然挖渠購置，在在需款，魯省經濟來源既絕，移民坐待飢亡，所賴王鴻一氏私人貸得兩萬四千元，然亦未能運用裕如，移民十四五兩年後，坐食山空，又告無法矣；此其失敗原因之二也。

（3） 墾民分子複雜 當魯省移民也，爲試辦性質，飭各縣各保送十人，但河套距魯，計程數千里，遠在朔漠，人多以充軍目之，故各縣有僱用流氓者，有強派遊民者，類多不肖之徒，而間亦有大學畢業生，以爲領地一頃可以生活而有餘；殊不意來套後，乃知套地雖亦水地，然未如內地之能生利也，遂大失所望；無眞能吃苦之農民移墾，此其失敗之原因三也。

（4） 事權不一 事務所爲管轄移民之機關，但無地方官之協助，遇有不肖分子反對或搗亂時，既無法律之力以裁制，而經濟權力又不足以控之、故形成債務由墾所負之，殊難向墾民收取，此其失敗之原因四也。

其他移墾社會

河套荒萊未闢，而沃壤千里，倘令內地多量人民，移墾斯土，實國計民生之大計；惟因國步多艱，移墾團體除移民外，無規模宏大之組織，亦一憾事也。茲就吾人得知者有二：然均資力兩無。一曰湘民移墾西北合作社，倡之者爲郭梟等，址在臨河六合公，有地五十餘頃，惜以十五年河套告變，主事者均星散，今已頹廢不堪矣。二曰膠東移墾社，倡者爲賀樂德等，資金萬元，十五年在綏立案，於臨河白爾堵拉察汗淖等處，購地百頃，於李貴務地方建築房舍，詎料事甫就緒，國民軍退駐河套，土匪蠭起，社務頓輟，週者渠道田蕪，墾務己成泡影矣。

墾務改造芻議

河套墾務之宜改進並除者滋多，茲述其犖犖大者有四，爲墾務當局告：

（一）獎勵蒙民墾殖　蒙旗人民生產方法落後，亟宜予以特種方便，使其實行農墾，一方固無沒收其地產之疑，一方又可促進其生產方法，增進其蒙漢生活之同化也。

（二）限制大地主　大地主擁田千頃，爲河套之現社會之大害，平民受其剝削，備極慘毒，且河套其叢之屢誤肆其煽惑，亦以此爲絕大原因，致其造成此局者，厥惟放墾之無嚴格限制所致，故今後亟應注意及此，則總理之平均地權，可以不均自均，一方又可弭禍於未萌也。

（三）清丈餘荒　河套之大地主餘荒甚多，已詳本篇，且有清季放墾，迄今未繳地價者，亟應嚴格清丈另放，既可免掉不少弊竇，又可以以法削減大地主之勢焰也。

（四）力除墾務人員之舞弊徇私　墾務人員之徇私舞弊者甚多，不僅有虧官守，且造成耕者無田之巨患，詳見本篇，宜加剷除。

第九篇　蒙旗及風俗

蒙旗之組織

蒙旗之組織，迥異於現代政治，蓋一仍其封建之王公制度也。其組織系統如下：

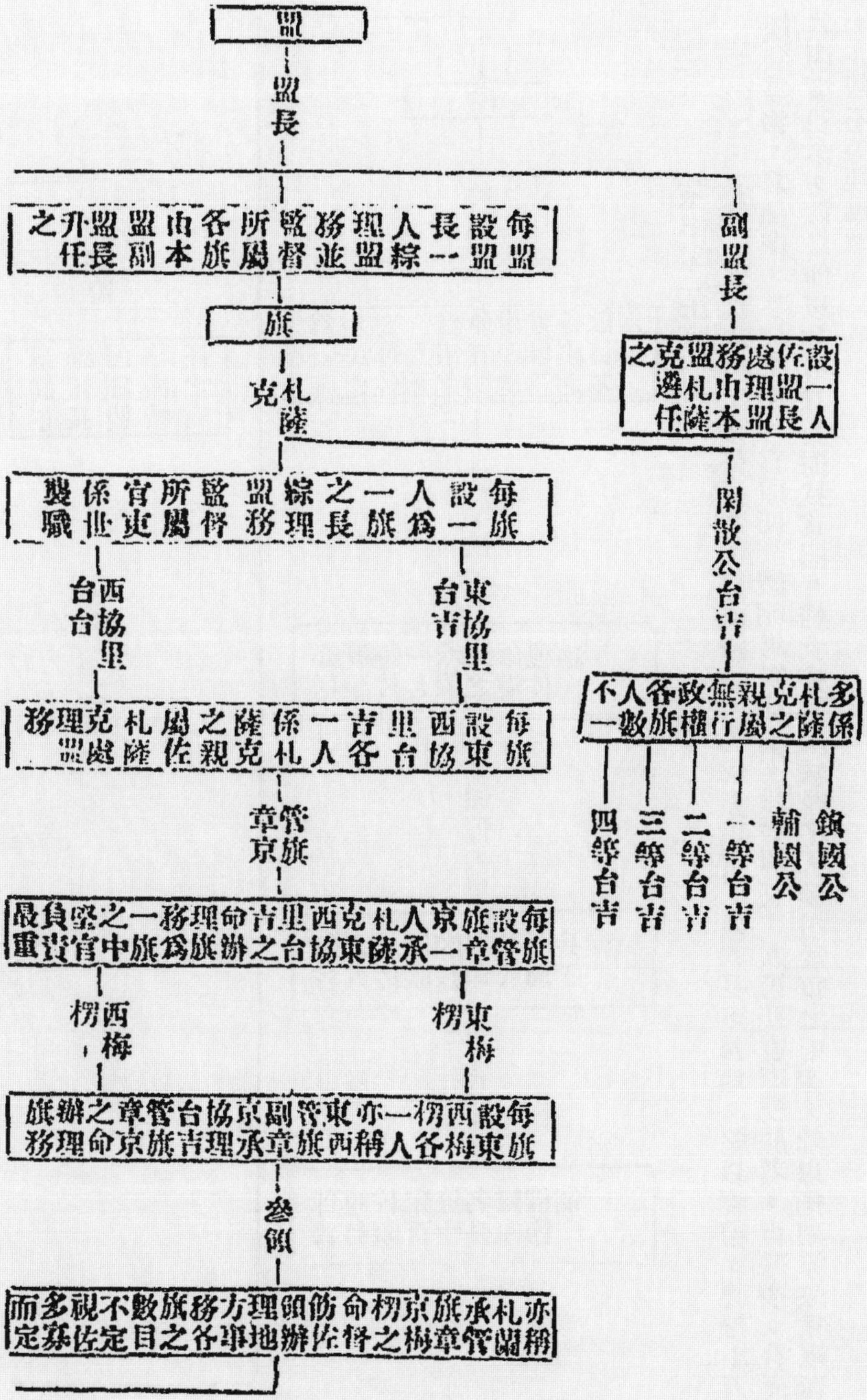
盟
盟長
每盟設盟長一人綜理盟務並監督所屬各旗由本盟副盟長升任之
副盟長
設一人佐盟長處理盟務由本盟札薩克遴任之
旗
札薩克
每旗設一人爲一旗之長綜理盟務監督所屬官吏係世襲職
西協里台吉
東協里台吉
每旗設東西協里台吉各一人係札薩克之親屬佐札薩克處理盟務
管旗章京
每旗設管旗章京一人承札薩克東西協里台吉之命辦理旗務爲一旗之中堅官負責最重
西梅楞
東梅楞
每旗設東西梅楞各一人亦稱東西管旗副章京承協理台吉管旗章京之命辦理旗務
參領
亦稱札闌承管旗章京梅楞之命督飭佐領辦理地方事務各旗之數目不定視佐寨多而定
閑散公台吉
多係札薩克之親屬無行政權各旗人數不一
鎮國公
輔國公
一等台吉
二等台吉
三等台吉
四等台吉

幫辦盟務：幫同正副盟長辦理盟務係特任之官

佐

佐領：爲蒙旗親民之官每佐一人承參領之命直接辦理地方事務各旗之數目不定

驍騎校：亦稱孔讀每佐一人承佐領之命辦理佐務

領催：每佐六人承佐領驍騎校之命分管所屬兵丁

兵：即民也每佐領定百五十名分歸催領節制

（二）蒙民之生活

衣裝　蒙民衣裝，多係清制，寬衣蹄袖，色尙赤紫黃，外衣長可及地，繫以腰帶，腰懸小刀烟袋等物，繫佛像，手持念珠，官服則紅纓帽馬褂補子，嚴守清制；人民亦有衣漢服者，但殊少。普通無清潔觀念，飯畢即以袖口衣角擦拭食器。婦女亦御皮絨靴子，髮披於頭之兩旁，飾以珊瑚等零碎東西，亦甚不美觀也。

（二）食物　蒙民食物，大抵爲奶子肉食，及黍子小麥等，其擄食製法殊多，有奶皮，奶豆腐，奶酪子，乳酒等，食時多和茶水中，茶爲蒙民之特殊嗜好，混奶子飲之，名奶子茶；麥粉及蔬菜，則爲王公富家多食之。平民則用以享貴客也。

（三）住居　蒙人逐水草而居，無固定房舍，多居蒙古包，包爲毡製之天幕，構造粗劣，然可以避風雨，尤便於解拆携行，包內左方爲男子居所，右方爲女子居所，中央設木櫃，上供佛像或活佛像片，飲炊均在此中，就寢僅能和衣而睡，無脫衣服者，間有仿漢人住屋者，以土爲之門，口懸尺大小之赤白色布旛。蒙旗多喇嘛廟，廟俱極宏壯，占風景優勝之地，爲各部落聚集之宿營也。

（四）禮俗　蒙古婚禮，多沿成吉斯汗大婚儀式，新郎騎馬佩弓矢親迎，雖婚極自由，一方有意，即可脫離關係，但蒙族夫唱婦隨之信念極深，離婚之事極少，男可納妾，修嫡庶禮甚嚴。葬禮有土葬火葬棄尸三種：土葬者，係仿漢人之制。火葬係火化死尸後，請喇嘛誦經，拾骨，調以黍粉，製成餅餌，收入寶塔，或送往五台山西藏等處，以爲死者身葬聖地，此制耗資甚多，非富貴之家莫辦。棄尸則係棄尸於野，以俟鳥類吞食，若三日不食，則誦經祈禱，必至食盡而止。居常娛樂，有角力，賽馬二種，均爲蒙人所喜，勝者且有獎品。歌曲亦可別爲二：居常蒙歌，頗猥褻，有男女愛戀之意味；舉行重要典禮之歌曲，則甚宏邁雄壯也。

蒙漢情感

蒙漢人感情頗洽，且可通婚，惟漢人較奸猾，蒙人每交易必疑曰，你們哄俺達子也；而漢人實亦常欺騙之。蒙人性悍而忽，小不洽則含忍，大不洽則可拚命不顧也。蒙人有其固有勢力，——游擊隊若遇事件，皆橫目相向，漢人多畏之。彼則藉勢陵人；特甚畏官云，官家治罪，則又頗馴服也。

河套禮俗

漢人婚禮重聘金，年輕寡婦改嫁，求資尤奢。習慣重早婚，禮儀與內地略同。喪禮與內地亦同。親屬死亡，定有禮服，按服戴孝，衣白，但多不滿服，即脫却矣。居民迷信特深，幾家家祀大仙，祈福求醫，悉此一神，諺云，除了大仙沒神啦。信然。又無論老少，多有大烟癖，無衣食可，無烟則不可活矣。當街便溺，恐若慣事，疾病發生，則求神問卜，不事醫藥。女子殊乏貞操觀念，又俗諺「後套後套，來人便套住了」，意即謂外來入套者，多不易脫離去也。考其原因，不外土地賤，人易爲產業所牽，烟癖普遍，一染此癖，則脫離較難，而淫風之熾，亦極有關係也。一經媾合，則明來明去，臨河縣志載有一詞，描寫河套風俗殊確，茲將原詞錄後：

磽骨朔風塞上高　罡裘重複尚輕飄　男兒也學婦人樣　一例束裝紅主腰
納嫁殊場有定程　連綿農事告西成　如何六管灰飛日　打麥始開叱犢聲
隨俗流傳是藥娶　家家父母太無情　只緣婦女偏朋慣　忍令呱呱付梗萍
滔滔伏水貴如油　七日奏庭乞未休　戊已一包馬一匹　香花殷拜獻渠頭
後寢前堂涸不分　土階茅茨好鋪陳　硃紅長襯裁羢毯　大鏡雙雙誇美人
洋肚手巾包白頭　鄉村裝束也風流　阿儂不怕周郎顧　高捲車簾懶下鈎
不重頭婚重二婚　孤鸞身價值黃金　周婆新訂親迎禮　送上陽台更作雲
嘉賓式燕樂如何　燴菜作羹五味和　四碟四盤八大件　歸來夕照醉顏酡
野人敬客好排場　大碗高登禮節詳　上等磚茶濃潑就　一盤瓜子一盤糖
酸菜黏心麪片湯　田家風味客先嘗　賓來同抱如歸樂　風俗敦龐屬此鄉
厚聘索來色色強　立人三百爲承償　專條又結十年約　五頃沃田養阿娘
夭桃灼灼野花繁　百輛鼓吹六市喧　廢履安排千萬戶　那須何寶盜當門
娶妻也會生財香　紅毯分鋪跪拜忙　阿姈一元姑五角　金錢亂撒喜洋洋
於今宗閥覺全刪　同母兄弟喚隔山　胡越一家成骨肉　誰云孩提不相關
鼻孔撩天搶地呼　床頭低首念南無　鳩盤也要簪花卷　難煞人間小丈夫
柳絲細雨海棠風　姊妹街頭一笑逢　相約明朝看跳鬼　弓鞋預繡碧芙蓉
弓鞋三寸巧安排　五色綾羅手自裁　低囑阿姨半下鍵　須防天足會員來

多少工夫手自綷　凌波微步婿如仙　陡闢天足重開食　綺羅一解降自天

自古人情富易妻　誰知後套歧中歧　當年多收十斛麥　臨老花叢覓別枝

走馬少年小市東　銀鞍玉埒度春風　拚將難出三倉麥　買笑千金付小紅

駿馬嘶風盒子鎗　地商子弟氣高揚　昨朝蓬戶今華屋　血汗十年夢一場

漢蒙雜處須調和　蒙語學來費揣摩　執手窮廬通款曲　駱漿奶酒獻多多

百貨挽輸走漢沙　米糧布疋酒糖茶　商人慣說蒙古話　吳越從今是一家

女男階級不分明　蒙俗流傳習慣成　滅濁留髡同下榻　聯床風雨到雞鳴

黑塞佩回學士怨　青林不駐文人車　但詞聊備輶軒采　豆架瓜棚洒墨華

蒙旗建設芻議

外蒙淪亡，於茲十載，東北哲卓昭等盟，又先後覆沒於日，內蒙僅餘錫烏伊三盟，現雖自治政府成立，仍無完善辦法，政府諸公事先因循泄沓，專務羈縻，今始如夢初覺，派委調查，預謀弭禍於未然，以挽眉急，蓋滿蒙破壞，門戶洞開，唇亡齒寒，西北岌岌可危，綏遠地居邊陲，蒙漢雜居，關係全局，至為重大，是不得不速謀周妥之法也，爰述管見，用供參考。

一，保障蒙旗組織俾世襲王公貝勒為國效力　王公貝勒之於蒙民，勢雄位優，由來已久，自中央劃省設縣後，政權日削，土地日小，於是乃懷位祿難保之疑，生急切獨立之念，故中央先宜申以民族自決之義，動以休戚與共之誠，袪其猜疑，固其組織在禦侮存亡範內，予以自治權力，俾蒙漢精誠合作，共謀我華之振作也。

二，保持蒙疆土地以固蒙民之心　蒙民不諳農事，所賴以生者，惟畜牧耳，自清代放墾以來，一渠之闢，徒遷之蒙民千數，惱惱若，日恐其無謀生之路，故蒙疆土地與人口之比率，應留蒙民之水草地，以利其生，以固其內向之心。

三，設立蒙旗民意機關　以促進蒙旗改善，蒙旗青年亦不乏，思想新穎之士，於其政治組織生活，率多不滿，今歲達旗督貴其一例也，故宜迅組此民意機關，使改進自治，知漢蒙勢須合作，利害漢蒙一致，以求實現眞正自治，免爲昏憒腐朽之王公貪劣誤國，爲敵所乘。

四，就蒙地設蒙事機關以利監督　昔之理藩院，蒙藏院，及今之蒙藏會，率多不明蒙情諸事，且地設南京，調查難周，認識不切，應付乖誤，以致有今日之結局，爲今之計，應速將蒙事機關，設接毗蒙邊之地，派駐熟稔蒙情之人員，主持一切，則隔閡可少，，合作亦易矣。

五，提高民智修其武備　蒙民智識隔塞特甚，而驍勇健悍，控制爲難，故宜設教立學，以提高其民智，使知世界環境潮流，與漢蒙利害切膚，則以其驍勇之體，爲國馳驅，誠我華之可撤克國防鬥士也。

六，改進蒙民生產　蒙民生產落後，日就貧愁，中央以中扶植之誠，改進其生產，謀善其生活，以培植國防之資源。

七，提携蒙漢感情　蒙民愚陋，漢民多欺詐之，馴致蒙漢情感日惡，亟宜嚴禁商民之欺侮，以相互提携，否則惡因既深，挽救殊難矣。（完）

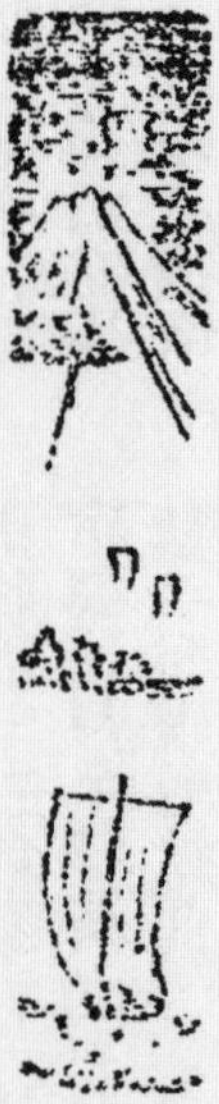

本館最近出版刊物

綏遠省分縣調查概要

造林小叢書

衛生小叢書

新生活輯要

生理物理常識問答

綏遠社會教育所一覽

中華民國二十三年八月出版

綏遠省河套調查記

全一册（非賣品）

編輯者　綏遠省民衆教育館

調查者　韓梅圃

印刷者　綏遠華北印刷局

發行者　綏遠省民衆教育館總務部

顧頡剛著

王同春開發河套記

平綏鐵路旅行讀物之二

平綏鐵路沿綫旅行讀物

（郵費在

一、謝冰心著：平綏沿綫旅行紀　每冊一

二、顧頡剛著：王同春開發河套記　每冊六

三、吳文藻著：蒙古包　每冊五

四、鄭振鐸等著：西北勝蹟　每冊一角

五、雷潔瓊著：平綏沿綫之天主教會　每冊五

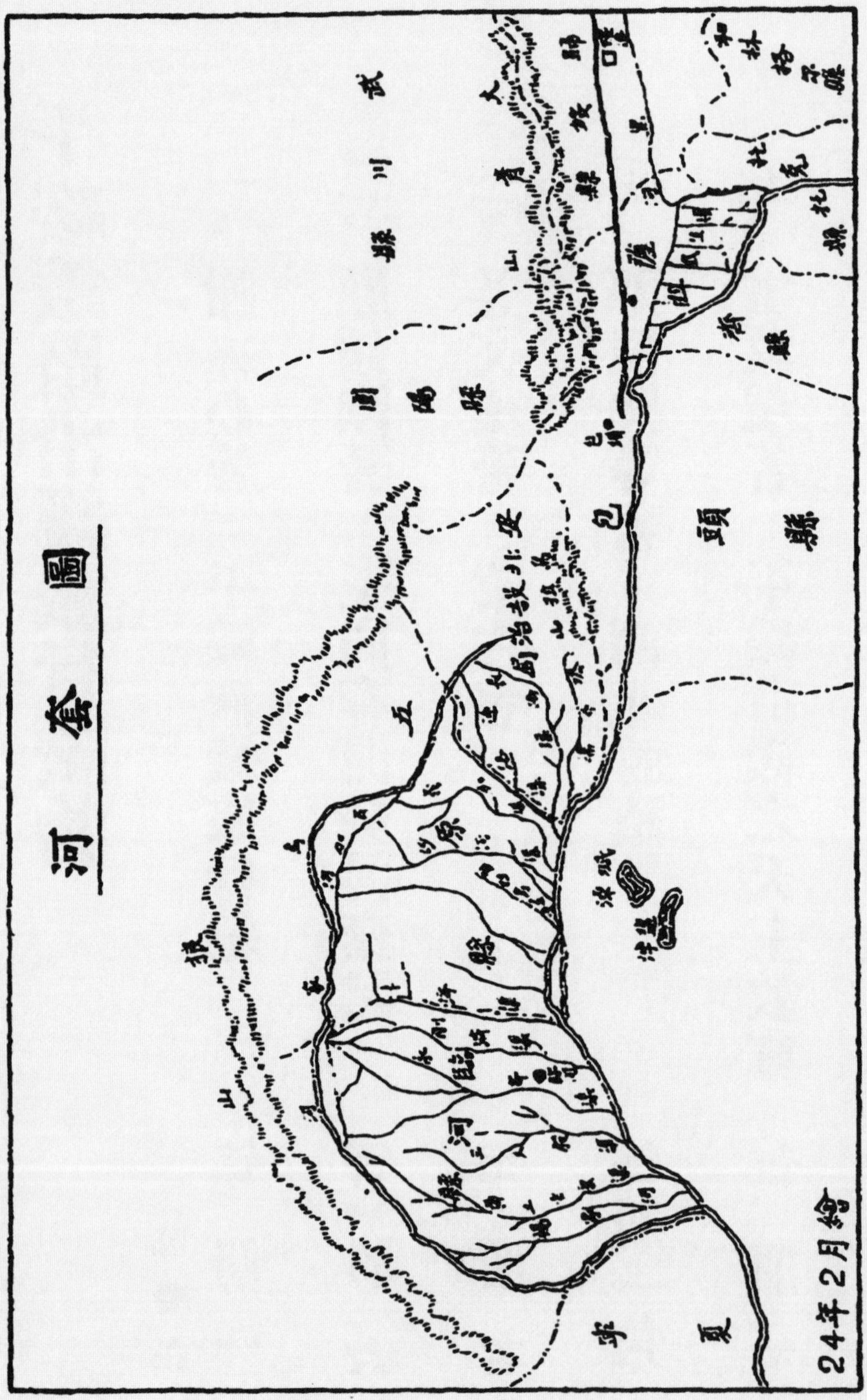
河套圖
24年2月繪

王同春開發河套記

顧頡剛

序

民國二十三年的春天，我同家起潛（廷龍）叔旅行到包頭，在狂風中遊了一次黃河的船；因爲沒有人認識，所以不曾打聽到什麽。夏天，我們得到平綏鐵路局長沈立孫先生（昌）的招待，游察哈爾和綏遠約一個月，與當地人士往來稍多，就聽得許多塞外的故事。尤其使我高興的，是聽得許多人講起王同春開發河套的故事。河套的開墾是我久已聽說的，尤其是「民生渠」三個字近年常在報紙上見到；但爲什麽「王同春」這個名兒直到現在纔聽得呢？我聽了他們講說之後，時常這樣地問自己。

第一個把這件故事講給我聽的，是平綏路車務段長賀渭南先生（鄜），他是山西崞

王同春開發河套記　二

縣人，很注意西北地理。七月十一日，同行的許多位都參觀大同的上寺下寺去了，我因事獨留在車上，賀先生把王同春說給我聽，我纔知道河套中曾有過這樣的民族偉人，我就發願替他寫一篇傳。但賀先生還不過講得一個大概。第二天，我們到雲岡，承晉軍騎兵司令趙印甫先生（承綬）的招待，住入他新蓋好的雲岡別墅，席間我們把這件故事問他，因為王同春的兒子王英曾在他的部下，所以他也隨口說了一些。就是這一天晚上，賀先生又補述了許多。他們兩位的話都由我筆記了。八月九日，到了綏遠，省政府諮議張宣澤先生邀宴，他向我們介紹建設廳秘書周頌堯先生，周先生是十餘歲就到綏遠辦墾的，曾和王同春並轡出游、查勘田野，所以記得的他的故事更豐富。那一天晚餐席上，他一路吃一路講，我就一路吃一路寫，因此這一頓飯吃得特別慢。還有一位客，他連帶講起王同春的女兒二老財的故事，吳文藻夫人謝冰心女士記了。本來我們還想赴五原訪一訪王同春的家，並看他所開的渠道，不幸那時綏遠的雨量太多了，道路因泥濘而不通，只得把包頭作為旅行的終點。我在綏遠接到家母病電，遂回南方，連包頭也沒有去成。在包頭，冰心女士記下了王靖國師長部下的參謀吳澤先生所講，也轉告給我。友人陳中心先生（忠）是順德人，和王同春同鄉，少時在家鄉所聽得的閭巷間的談論，把記得的也告給我幾條。

以上的材料是屬於口說的。至於文字方面，當時一點也沒有得到。我居喪在杭，吳文藻先生來信，告我新刊的臨河縣志的末尾有一篇王同春的小傳；回到北平，在燕京大學圖書館裏找到。恰巧大公報史地週刊向我徵文，我就依據了大同和綏遠所聽得的加上這一篇傳文，合寫為王同春開發河套記，登入十二月十八日報中（史地週刊第十五期）。發表之後，吳先生又告我張蔚西先生（相文）著有王同春小傳一篇，是民國四年作的。有一天，我見到張亮丞先生（星烺），向他提了，他就送我一部南園叢稿；在這書裏，不但讀到了這篇小傳，又從塞北紀行中知道蔚西先生和王同春認識的經過。我想，蔚西先生既和他認識，說不定在亮丞先生作的沌谷居士年譜裏尚有材料。拿地學雜誌一翻，果然還有許多。日前晤趙泉澄先生，他說，『我讀光緒東華錄，

四

也發見王同春了！』我就在這部書裏鈔出了升允的奏文。有了這許多新材料，此文該得重做了，所以現在就修改一下，在禹貢發表。又把各種文字材料集錄起來，作爲本篇的附錄，以備讀者的參證。還有一幅簡單的地圖，是吳志順先生根據了樊中府先生（庫）的綏遠省分縣圖而繪的，因爲時間匆促，未能畫得很細。好在不久的將來，我還要寫一篇綏遠的墾務和河套的水利，到那時再請吳先生畫精詳的圖罷！

王同春是一個民族的偉人，貧民靠了他養活了多少萬，國家靠了他設立了三個縣。然而他的事業是及身而失敗了，他的名譽除了綏遠一帶之外是湮沒了。如果我們再不替他表彰，豈不是證明中國太沒有人了！所以我誠懇的懇求：凡是有人知道他的事實的，對於這篇文字，請給以嚴格的糾正，或給以大量的補充，使得它可以逐年改作，由我的手裏寫成功一部這位失敗英雄的傳記。

民國二三，一二，二四，始草；二四，一，二七改作訖。

王同春開發河套記

顧頡剛

王同春是直隸省順德府邢台縣人，生於清咸豐元年（西元一八五一），小名進財。他出身微賤，沒有受過教育，識不得幾個字。他的幼年的生活，大約已經沒有人知道了。到十六歲那年，他犯了殺人的案子，從家鄉逃出來，同拳術家李三傍子一起推車到了河套。河套本來是一塊肥沃的地方，諺所謂『黃河百害，惟富一套。』黃河在河套一段，本有兩道，在北的叫作北河，在南的叫作南河。後來北河漸湮，其下游在清朝道光年間淤斷，和南河不通，土人呼為五加河（也有人寫作烏拉河）。從黃河到五加河，叫做後套。這塊地方，南北四百餘里，東西六七百里，真是天府之國。自從明朝棄給蒙古人，他們只拿來充做牧場，辜負了天地的美惠。到乾隆年間，有幾個漢族漁夫捕魚到此，在近河處用桔槔取水，試行種植，大獲其利。到道光三十年，黃河水溢，北岸決成一河，名曰塔布河。河流所及，都成了膏腴，那時山西人民移殖來的漸漸多了，他們在那邊種地，有非常好的收穫。聽說一個人可以種到一千畝，種一年可以吃十年。起初他們只會利用天然的河流，後來也會自己開渠，引水灌田了。王同春就在這個運會中赶到了河套。

有一個四川人，名喚郭有元，他先到河套，娶了甘肅女子，成家立業。他首先提倡開渠，這條渠就叫做『老郭渠』（現在改稱通濟渠，在安北縣）。同治十三年，王同春投在郭家，充做工人，勤苦的工作。他的身材特別高大，長六尺左右，進普通的門戶全須低頭而入。力氣又極大，一鋤下去，掀起來時就有百餘斤的土。郭有元見他一表人材，心裏着實愛重，就叫他管理渠工，把女兒嫁給他。他既成家。就向蒙人租了牧地，自創一牛犋（這是綏遠的特別名詞，兩條牛爲一牛犋，可伸爲村莊的意思）。後來開第二個牛犋，以至于第三，第四……。他的田多了，就在隆興長（地名，在今五原縣城南）創一牛犋，這是他的大本營。光緒七年，他又自己開一條小渠，叫永和渠。十二年，又開同和渠；後來開得長了，改名義和渠（在今五原縣，）這條渠長有百餘里。在這時候，他已經不受他的丈人的節制了。

光緒初年，開渠墾田的還有幾人。西邊有一姓王的鑿了一條黃土拉亥渠，又有一個姓楊的開了一條楊家河（都在今臨河縣）。東邊有一曹四，還有一個四老虎，同時開了一條長勝塔布渠（今名長濟渠，在安北縣）。凡事一關了利就會發生爭端，他們爲了爭水爭霸常時械鬭，王同春勢力最充裕，他有來復槍，前膛槍，手下養着的逃兵和把式匠（即拳教師）又最多，械鬭幾年，他獨霸了。河套共有八大幹區；每區周圍數百里，他一個人就開闢了五個，擁有良田一萬餘頃，牛犋七十個。河套地方，幾乎給他打成了一片。

但他的占勝並不完全靠武力，他有絕特的聰明。開一條渠不是容易的，三丈闊，三丈深，數十里至數百里長，還有許多的支渠，費錢數萬至數十百萬，實在是很偉大的工程。要是開了沒有水來，或來而不多，人力財力豈不寃枉花了。但他識得水脈，有開渠的天才，一件大工程，別人退避不遑的，他卻從容布置，或高或下，或向或背，都有很適當的計畫。他時常登高遠望，或騎馬巡行，打算工程該怎麽做，比了受過嚴格訓練的工程師還要有把握。在黑夜之中，他點了三盞燈，疏落地放着，來測定地的高低。逢到下雨天，他又冒雨出去，看雨水的流轉，做他測量的標準。在開挖時，他一眼看去，說那裏有水，鋤頭打下去，果眞冒出水來了。遇有疑難的地方，低着頭看，抬着頭想，癡癡地立在渠邊，有時竟徬徨終夜。等到豁然貫通，眞覺得上下通明，快樂得跳起來，叫起來。他是這樣地精神專注的。他又最不會失掉經驗。夜中馳騁曠野，偶然不辨在什麽地方，只消抓一把土向燈一照就知道走到那裏了。有一次，他指着一塊地，說一尺下必有水，旁人不信，掘下一尺，他的話竟驗了。這人駭怪，問他原因，他說：『你看，地鼠穿的窟窿，翻起來的土是溼的。這不是很明白的證據嗎！』黃河中起泡，他知道水要漲了，對農民道，『你們看，我開這渠，水會跟我來的！』果然渠口一開，水就滔湧地進來了。農民對他信仰極了，眞要把他當作龍王拜。後來他和人家打架，被挖了一隻眼睛，大家就稱他爲『獨眼龍』，嵌進了這龍字。又因他小名進財，也稱他爲『瞎進財』。凡是到河套去，提起王同春，這名字太文雅了，未必人人知道；一說瞎進財，沒有不知道的。他還有一個表字，叫做『濟川』，這當然因他有開渠的功績，念書人取了堯典中的句子替他加上的了。

他非常的惜物，愛牲畜，天天先喂了牲口然後自己吃飯。他又非常的刻苦，開渠時自己也雜在工人隊裏，一齊動手；就是他的愛子也逃避不了這種苦差使。就是他的女兒，脚裹得小小的，也要背了鎗在渠裏監工。

他的勢力既漸漸雄厚，於是招兵買馬，做起土皇帝來。流氓跑向他那邊去，犯罪的也逃到他那邊去。三敎九流，他都容得下。直魯豫三省的貧民，去的更不少。本來茫茫的荒野，給他一幹，居然村落相望，每天下鋤地和擔土的有數萬人了。他用了兵法部勒他們，個個人要替他作事，不許隨便離開，農閑之時，又要施行軍事訓練，以防敵人的侵襲。清末革命黨需要金錢的接濟，常去訪他，也受過他不少的恩惠。他對于錢財一點不吝惜，凡是去依賴他的人，他每每給這人娶媳婦，再給百畝或千畝的田地。光緒十七八兩年，京北大旱災，他捐輸了糧米一萬多石。二十七年又是鬧荒，他再捐了六千多石，給他救活的總有五萬人以上。這時候，人人感激他。河套中人更只知有他，不知有國家；彼此說話，提到他時，不忍稱他的名字，只說『下善人』。

但是他的手段也實在辣。凡是和他有利益上的衝突的，或是犯了他的禁令的，捉了來就要處罰。他的刑罰有三種。第一種叫做『住頂棚房子，』是冬天鑿冰，鑿開一洞，把人投入。第二種叫做『下餃子』，把土袋裝了這人，扔下黃河。第三叫做『吃麻花』，是把牛筋曬乾，像一條麻花似的，把人打死。所以漢高祖還要約法三章，他則只有死刑一章。有一年，他曾經用了這三種刑罰處死了三千五百人。總算起來，在他的手裏結果的人可不少咧！

他還有一件不合理的舉動，就是欺侮蒙古人。河套地方已久為蒙人所佔有，他們自己不開發，漢人替他們開發也未為不可。而且開發之後，蒙人日用的菜麵洏酒都可從近地交易，地方的繁榮本來也是他們的利益。不幸蒙人習慣成性，太不振作，一切聽其自然；滿清政府更加「天高皇帝遠」，什麼都不聞不問。在這樣的情形之下，王同春旣擁有實力，他就可自由行動了。他常常租用蒙人的土地，對方不肯時，他又强立借契，契上寫明期限一萬年。再不肯，他就命他的手下人和他們械鬬，把他們逐出這個區域之外。蒙漢間的感情就此傷了。他旣廣闢田地，開溝渠，置牛犋，後套裏方圓數百里，再沒有蒙人游牧的地方，於是他們不是北度陰山，就是南越黃河，王同春勢力所及之地便斷絕了蒙人的足跡。但也有人說蒙人很信仰他；蒙旗裏有什麼爭論，只要他一出來調停事就完了。到底怎樣，尙待打聽。也許王同春的强墾蒙地比了官墾還能講些公道，又還捨得花錢，雖然蒙人一樣地受壓迫，究竟壓迫得輕的會得收拾人心呢。

他不但對于蒙人毫不客氣，即對于洋人也沒有禮貌。比利時等國的教士在綏遠一帶傳教歷有年所，每一個教堂各領有蒙地數百千頃，築室耕田，自成都邑；彷彿一個個的小獨立國，做事自然偏于强橫。王同春壓不服他們，他們也壓不服王同春，彼此積有嫌怨。在這方面，我們雖沒有聽到什麽故事，幸而覓得陝西巡撫升允的一篇奏書。奏書中的事情是這樣：蒙人和教民鬧起來，在庚子年後蒙方當然不會佔便宜，其有中一個烏審旗（即鄂爾多斯右翼前旗）須賠銀四萬八千兩，但這旂太窮，不但拿不出錢，也拿不出牲畜，只得把一個鹻池押給教堂；教堂不要，因此招商承領。有人推舉王同春承領，王同春自已答應了，而教堂不肯答應，說：『此人最不安分，與教堂頗有宿怨』，竭力阻擋。地方政府無法，把鹻池改爲官辦。從這一點上可以知道，王同春對于外國人是怎樣倔强。

有一個河南人陳四，到河套時比王同春早些，他也是一個豪俠講義氣的男兒，手下自然收得許多徒衆，兩雄不並立，他們兩家時常械鬬，殺傷的人很多。訴到官廳，王同春就被捕入薩拉齊的牢裏。薩廳撫民同知文鈞覺得械鬬的事雙方都應負責，不該獨使王同春受冤屈，把他放了。後來陳四方面屢次上告，文鈞爲了這件事情竟革了職。他年老無子，不回家了，寄居在綏遠城裏，也沒有人理他。有一天，外邊忽然來了幾十個大漢，把他擡了去，他莫明其妙。停了一回，纔知道他們是王同春特地派來接他的。到了王家，王同春跪下說道，『大人，你是重生我的恩人，你沒有兒子，就我是你的兒子了！』奉養他終身，殷勤服侍，過於孝子。遠道的人聽了，愈加欽佩他待人的誠厚。

光緒二十七年，庫倫活佛聽得他的名聲，聘他到外蒙開渠。他帶了一千個滿人去工作。結果如何，因為道遠，述說的人也不知道。但他的幸運已在這一年交完了，從此以後，他就一重重地墮入了厄運。

光緒二十六年，八國聯軍攻入北京，西太后等逃到陝西，岑春煊率師勤王，路過河套，看見土地肥美如此，心中着實想用了國家的力量幫助農業的發達。下一年他接任山西巡撫，就奏請開發（因為那時的綏遠是山西省管的）。朝中准了，命貽穀做督辦墾務大臣，二十七年先在東蒙着手，二十八年推到西蒙。貽穀到河套一看，見王同春的勢力這等雄厚，覺得非把他打倒，政府的墾務是不能辦的。因此，對他說：『你辦墾務極有經驗，我就請你當了總工程師罷！」貽穀帶去的一班人，看見那邊有這樣的大財主，個個眼紅，想去揩他的油。他知道政府的勢力來了，豺狼當道，對他必然不利，但無法反抗。他任了總工程師，第一件事是修長濟渠。他只命工人往低處開，水來了上不去，反把以前所開的渠一起淹了。他達到了敗壞渠道的願望。

本來綏遠的薩拉齊廳轄區極廣，後套全部在內，現在寧夏省的一部分也在內。自從政府開發西蒙，就把它的西部劃作五原廳。二十九年，五原廳撫民同知兼西蒙墾務督辦姚學鏡為了王同春不肯把渠道公開，親帶幾營兵到他家裏，勒逼他把渠道歸公；他違抗不了，只得屈服。從此以後，政府裏設了水利局專管放水，每年征收水租多少錢；在規定之外，局中的吏役常常作額外的需索，不肯納賄的就不給水，逼得人不能種，河套裏的良田又變成沙磧了！王同春是自開渠道的人，政府裏算是體恤他，貼還他一些些的開渠費。

在那時，他不再能和以前械鬭過的人爭氣了，於是他的二十餘年來的敵人一一上衙門控告他，其中以陳四為最厲害。他派人同陳四說：『從此以後，我固然完了，但你也完了！我們講和罷，我們把一班把式匠遣散了罷！』陳四聽了他的話，果眞把自己的爪牙辭退。二十九年臘月三十日，陳四住在義和渠旁土城子，（今五原縣城南約六十里），王同春的拳師杜福元帶了幾人，從隆興長赶縣子到土城子，夜十二時把陳四打死了。杜福元們跨縣東去，八點鐘走了四百里路，到包頭，大年初一到處拜年。陳四家屬告狀，官府捕獲了杜福元，但他說：『元旦天亮我就在包頭拜年，怎麼大年夜的十二點我在土城子殺人？兩處相去四百里，難道我是會飛的？』官府到底不能定他的罪。

但是辦墾務的官員們發財的機會又到了。他們叫王同春來，斥責道，『你私墾濠地是有大罪的，殺人也是有大罪的，兩罪併發，你有幾個頭？這不是害了自己不夠還害子孫嗎？聽我們的話，你具一個甘結，我們替你消案！』說罷，拿出一張紙來，叫他畫押。王同春是不識字的，不知道上邊寫的是什麼；迫不得已，打上了一個手印。

這一打，他的田就去掉了無數！

到光緒三十三年，王同春到底爲了打死陳四的案被捕入獄。關了五年，適逢辛亥革命，綏遠將軍堃岫因人心不安，要把監內五十一個犯人一齊槍斃，結果，別的都死了，只有王同春沒有死；然而死尸卻還是五十一個，原來一個開槍的兵丁誤死在內了。將軍覺得其中必有天意，沒有殺他，仍舊監禁。民國元年，他恢復了自由。綏遠將軍派他回河套辦團練，安定邊疆。他回到家裏，叫人肩了一面大旗徧走四鄉，嘴裏喊道，「王老子放出來了！奉將軍的命令訓練鄉團，保護老百姓了！」百姓們聽了這話，聚集攏來，不上一月就部署井然，威聲大振，民國二年冬，外蒙入寇，他埋伏了許多團丁，在高闕戍前打了一仗，蒙人大敗而歸。他因有了這回武功，得到政府裏五等嘉禾章的獎賞。可是他的田產已很少是他的了，他雖任農會會長，還做得出什麽事情來呢？

聽說閻錫山在清末和王同春有過很深的交情，辛亥革命，閻氏曾得到他的兵馬錢糧的帮助，因此，民國以來他輸運貨物，經過山西，很受當局的保護。他每年把灘羊皮和軟毛細皮從寧夏後套運到順德，再把綢緞布疋洋廣雜貨從順德等處運到後套，車上插了『王同春』三字的標旗，經過山西各稅卡，概可免驗放行。因此，他在德順民間的聲名也很大。但我們知道辛亥革命時他正關在獄裏，或者只是一種民間的傳說而已？

民國三年五月，地理學家張相文旅行到五原，他在歸化聽得了王同春名望，訪他談話，一見傾心，覺得他真是一個農村的模範人物。聽到他自敘五十年來的經過，又深切地替他抱不平。張氏回到北京，和農商總長張謇說了。那時張謇兼任導淮督辦，聽得有這樣一位開河的天才，自然高興，就聘他為水利顧問，招他到北京，並囑他帶了兩個兒子到南通師範學校讀書。這年冬天，他們動身，路過綏遠城，謁見將軍潘矩楹，潘將軍的手下人和貽穀的手下人一樣，看他有錢可榨，就勸將軍加他一個罪狀，把他下獄。張相文與張謇函電營救，都沒有效果。張謇為了這事特地進總統府見袁世凱，用袁大總統的命令打電報去，方得釋放了。他到北京，對人說，『險呵！案子已判決，該槍斃了！只要這命令遲到一天，已來不及了！』他想起這些事情，眞覺得萬念都灰了。

他們到了北京，在張相文辦的中國地學會裏住了三個月，和張謇等商量開墾河套的計畫。他們共同組織了一個西通墾牧公司，由王同春撥出烏蘭腦包附近地十萬八千畝作爲公司事業的基礎，張謇和張相文各出二千元作爲活動資本，從民國四年四月開凍時辦起，張相文親自去布置。因爲交通不便，官吏貪婪，軍隊騷擾，土匪猖獗，辦了六年，不但開墾失敗，連牧畜也失敗了。

民國三，四年間，張謇常常請假回南，覆勘淮河工程。王同春曾隨着他南行。張謇討論導淮的方案，他主張疏導入海，張也極以爲然，但到底爲了種種阻礙，沒有實行。

他在南通縣住了些時，又到北京和山西應州住了些時。民國四年，他回到五原。

五年、河套田地又歸他經營。但他老了，不行了。六年，病死，年六十七。現在五原城內有個王同春的祠堂，每年六月六日爲廟會期。就是這座五原城，也是民國四年他捐資建造的。

自從光緒末年他入獄之後，一班拳師失去了首領，變爲土匪。河套的土匪幾乎沒有不是王同春的把式匠，他們的擾亂區域直蔓延到察哈爾。

講到渠道，自他走後也湮塞了。當時設辦墾的時候還像個樣子。到了民國就沒有人顧及，墾務停頓了。四年，綏遠都統蔡成勳手下有一個旅長楊以來，他要包辦水利，設立灌田公社，名義似乎很好，但實際只有剝削，水利全壞。五年，雖仍由王同春接辦，但過年他就死了，此後水利事業由墾務局經營，當局者只知有田而不知有水，更失敗了。十七年，劃歸建設廳，設立包西水利管理局，困于經費，變成官督民修。無論如何，總不及王同春私人管理時來得好。所以有人歎息着說：「民生渠修了三年尚未成功，而且眼看將來也沒有希望，如叫王同春來修，那會枉費那麼多的時間和這麼多的金錢！」

王同春共生四個兒子，一個女兒，長子和四子早死。二子王喆，號樂禹，是一個謹愼的人，能保守他的遺產。三子王英，號傑臣，民國初年隨父到南通，讀過幾年書。回五原後，他不去種地，專喜招集流亡，聚衆至數千人，後又增至萬餘人。政府任命他做軍官，曾在山西騎兵司令趙承綬部下做過旅長和副司令等職。但他爲人心氣高强，不能鬱鬱居人下，而有勢力的又垂涎他的產業，逼得他難堪，二十年，他提了兩師兵造反了。這說不定有水滸傳中逼上梁山的背景！給國軍剿平了之後，至今匿居在天津。他分得的父產，已全部沒收了。次女名二老財，年已五十外，嫻騎術，有智謀，綽號是「後套的穆桂英，」也有人比她做九花娘。十七年，土匪趙二半吊子圍攻五原城，聲言破城後要屠城，她挺身而出，嚴辭責備，他的兵就退了。即此一事，可以知道她在後套的威望。她手下有四十人，又有些軍火。她也能指揮軍隊。王英失敗後，後套的土匪更多，有人報信，說他們都住在二老財的家裏。政府得此消息，把她逮捕。她侃侃答辯，說：『倘使我帮着王英造反，爲什麽他失敗之後我不跟着他跑呢？再說捉賊捉贓，我的贓在那裏呢？犯罪要證，那一個土匪供出是我窩藏的呢？』問官覺得她理由甚直，沒有定她的罪，但也沒有敢放她。她現在仍住在五原縣的監牢裏。又有人說，已經放出來了。

民國十四年，從五原縣中析出通濟渠以東的地，成立安北設治局；又析出豐濟渠以西的地，成立臨河設治局。十八年，改臨河爲縣。綏遠一省只有十八個縣，而五原，臨河，安北三縣是王同春開發的。一個不識字的人能彀赤手空拳創出這番大事業來，那不夠我們的紀念？再說倘使官民能彀合作，他的成績又將怎樣？所以張相文太息着說：王同春是不幸而生於中國！

附錄一　東華續錄（光緒二十八年四月）　朱壽彭輯

（光緒朝卷一七三，頁八）

升允奏，「查光緒二十六年七月間，陝西甯條梁地方蒙人鬧教一案，去夏經奴才派員會同綏遠城將軍所派委員，暨蒙部各員，與該處教堂議和，往返籌商，磋磨再四，開議逾月，始獲辦結。計此案焚燬教堂四處，教民房屋六百餘間，傷斃教士一人，教民十八，掠取教堂及教民器物糧石牲畜等件，爲數頗多。議定不戮一人，共賠償銀十四萬兩；又烏審旗歷年積案，三旗另賠銀三千五百兩，歸入此案並結，一了百了，均不得復有違言。其賠款應由鄂托克，扎薩克，烏審三旗分攤，鄂托扎薩兩旗或即時措交現銀，或以牲畜地畝作抵，惟烏審旗素稱貧瘠，無款可籌，因以大淖鹻池暫押教堂，一面設法出租。上年十月，臘月，本年三月，三期籌款贖淖。屆期如辦無端緒，教堂乃按三限索銀，決不將淖池收留。當經該委員等同蒙旗及教士會議條規，妥立和約，訂有永無翻悔，甘結存案。此起初蒙洋議和之大概情形也。

「嗣因招商認租淖池，日久無人承領，而十月限期已迫，因札飭延榆綏道酌量妥籌，如招商甚難，即以大淖歸俄，俄代蒙出賠款。旋據延榆綏道稟稱，「已由綏遠委員招來晉商王同春：惟一時無此鉅款，擬按四年分繳。」後據駐劄神木部員明祿咨稱，「渠池歸王同春承辦，其銀由王同春分期自交洋堂，現已互立約據」等語。奴才以為償款既有著落，自可相安無事；乃今正接閱該處教堂來函，謂「去冬蒙旗應繳之銀，一再愆期，聞欲將渠池出租王同春，此人最不安分，與教堂頗有宿怨，果爾當極力阻擋」；並云「第三期如不將款交清，彼時斷難應允」。奴才竊維此次蒙洋搆衅，幸經派員議款，復歸於和。倘因該旗籌款無從，致啟責言，彼直我曲，其將何術以解？且王同春既為教堂指摘，又無現銀持交，自不能令其承辦渠池，致生枝節。當飭司籌款五萬餘兩，委員解赴榆林，於三月限期內如數兌交該處教士核收，贖同渠池，歸官開辦。良以大渠產業最旺，在公家既非虛擲黃金，洋堂賠款繳清，在蒙旗亦可如釋重負，兩有裨益，是以毅然行之。此代蒙籌款結案之實在情形也。

「茲據駐紮神木部員明祿來文，據稱王同春係該員招來，「即使洋款定須一時清還，不允四年分期，亦應婉勸教士曲從，何得遽歸官辦。此皆綏遠委員佐領扎拉豐阿擅權干預，又以小石碣地方許給洋堂，必暗激成禍變。合先陳明，以免明祿將來狡卸」等因。接閱之餘，不勝駭異。查佐領扎拉豐阿乃奏委專辦此次墾案之員。凡放地墾務各事宜，是其專責，何得謂之干預！灘池既可歸商，何獨不可歸官！以鉅金濟蒙之急，蒙人有何不利！至小石碣地方，「乃上年會議租與洋堂之地」，業經咨明外務部在案；此時自應指明地段界限，勸諭各蒙民遷徙，以期彼此相安，何得遽食前言，任意攙阻」。明祿因灘池未歸王同春承辦，輒捏引「蒙教相仇，大禍即在目前」等語，希圖挾制，殊不知教堂所切齒者專屬王同春一人，若復用之，適以挑蒙教之釁。明祿懵懵，乃為之力爭；奴才固不敢謂其必受王同春賄賂，故聽該商把持；而其徇私忘公，危言聳聽，實屬昧於情勢，不顧大局。際此蒙教猜疑未泯，該員不思彈壓調停，以期釋嫌敦好，萬一因民之怒，激成事端，其患何堪設想，焦思再四，惟有請旨飭下理藩院，將駐紮神木部員明祿速即撤回，以弭隱患」。

得旨，「明祿著即撤回，該衙門知道。餘依議」。

附錄二　塞北紀行

張相文

（南園叢稿卷四，頁三二）

（民國三年五月）二日，住五原農會。……下午，王君同春來晤，農會會長也。余在歸化已聞其名；然官場對之，率多詆毀之詞。及逾薩拉齊而西，所遇農民莫不稱其經營水利具有心得。因乞知事范君爲書介紹見之。與談河套地方利害，所言頗能中肯，亦可爲農人之最好模範矣！

附錄三　王同春小傳

張相文

（南園叢稿卷七，頁五二一—五三）

王同春者，北直邢台縣人。性任俠喜事。少時家赤貧，隨父覓食塞外，輾徙至河套，傭爲蒙人工作。其爲人眇一目，身軀雄偉，膂力兼人，以是得稍稍積工資，乃貸蒙人牧地自墾之。

河套界山河間，地屬冲積，赤埴中兼雜白沙，得河水以浸之，乃異常滋潤；水所不及，皆荒磧也。同春有天才，能識水脈，登高而望，即知畎澮所宜。又或馳馬巡行，凡山原高下，工程多寡，鬥角鈎心，了了然不差累黍，雖精於測算者不如也。故其墾地歲穫滋多。乃益出資租蒙地，蒙人益信賴之，自南河沿岸以達北河，南北四百餘里，東西六七百里，凡鑿幹渠四道，寬深皆與大河相等，支渠旁達無數。晉，秦，燕，豫貧民爭趨之，日操畚鍤者常數萬人，歲穫粱穀至巨萬，饋運口內不可勝計。茫茫荒野，至是乃村落雲屯，富庶過於府縣。同春指揮其間，儼然一建國主也。

是時適有豫人陳四者，先同春至河套，豪俠尚氣，與同春埒，徒衆亦歸之，乃起與同春爲盛衰之爭。兩家持械鬬，時有殺傷者，同春遂坐繫薩拉齊獄中。廳官文鈞覘同春無大罪，遽遣之。已而陳四之黨迭上告，文因以落職。年老無子，退居綏遠城，無過視者。一日，忽來壯士數十人，急舉之去，不知何所爲也。繼知乃同春遣迎之。既至家，同春則跪陳曰，「大人實生我，我即大人子矣！大人何用子爲！」遂奉養之終身，過於孝子焉。蒙古諸王公聞之，愈益重同春之義。蒙旗有違言，得同春片語無不立解者。

居久之，清將軍貽穀奉命督辦西盟墾務，知蒙人弗善也，乃羅致同春，欲以開導蒙人。同春既進謁，適陳四爲人殺於路，風傳同春實使之；貽穀從吏合謀，借是以縶同春，瓜分其產，乃勒令同春盡獻墾田，且誑之曰：「如此則爲爾消案，不則私墾蒙地有罪，殺人有罪，兩罪並發，禍且及子孫矣！」遂出一紙，逼之畫諾。同春不知書，手印之，其田盡沒。然終以陳四案，囚繫之獄。

辛亥革命軍興，北方騷動，獄中諸犯且謀越獄爲亂。同春密告之，得以無害。將軍堃秀嘉其忠，遂釋之，飭往河套爲靖邊計。同春既歸，乃建大旗，使人周走而呼曰：「王老子出獄矣！且奉將軍命，爲若辦鄉團，禦寇盜也」。於是蒙漢爭集，旬日間部署井然，聲威重一方。二年冬，盧倫入寇，同春設伏遂擊之高闕戍，大破之，遂由軍功獎以五等嘉禾章。然墾田既盡入官，乃退耕河西爲老農，亦無復當年意氣矣。

野史氏曰：泰西人於近數百年間盛言殖民矣；吾向者讀吳元盛林道乾殖民諸偉人傳，心竊壯之，謂吾民之聰明才力果不在彼族下也。自今觀之，彼吳林者特徼倖成功耳。設使南洋諸島亦如河套之隸屬於中國，則是蚩蚩者方爲官吏魚肉之不暇，而豈能披荊斬棘，爲吾人爭存於尺寸土耶！嗚呼，悲夫！

附錄四　泗陽張沌谷居士年譜

張星烺

（地學雜誌民國二十二年第二期張蔚西先生紀念號）

民國三年甲寅　年四十九歲

春，三月，擬爲西北之遊。……農商部總長張季直先生因以調查西北農田水利相囑，部給旅費。……出居庸關，經張家口至大同。由大同用騾車……至歸化城，……見張敬輿（名紹曾）將軍。將軍以西方荒落，孤行不便，命副官派馬兵數人，護送至寧夏。……由歸化西行。……至五原縣。在此認識其縣農會會長王同春。由五原西南行，……至大中灘，踰阿拉善旗地，得悉豫匪白狼入甘肅，寧夏戒嚴，不可前行，乃乘舟下至包頭東歸。歸後翌年，有塞北紀行之作，又有王同春小傳，以記套中開闢偉人。……

秋，與張季直籌劃開墾河套事務。致書五原縣，請王同春來京，共商進行之法，由部給以顧問名義。季直先生並請王派兩子至南通師範學校肄業。至冬，王由五原東來，至綏遠謁見新將軍潘矩楹。時有欲向之綁票者，在潘將軍前搆陷之，將王拘留下獄。先君在京聞之，先求張敬輿致函潘將軍綏頰，請釋王，無效。農商部致電亦無效。季直先生爲此特進總統府謁袁，用袁大總統命令，電其即刻釋放，始有效。王抵京云，『在綏遠已定讞，大總統令若遲到一日，即遭槍斃矣！』同春在河套開墾鑿渠，功績甚大，有類神禹。套中又有稱之爲王善人者。壯年起業時，不無有得罪人之處。年老多財而無勢力，即爲其所至獲罪之由也。清末將軍貽穀訛詐其錢財土地甚

王同春開發河套記　三〇

多、曾下之獄；至此又遭下獄，因之萬事灰心矣！民國二十年冬，各報記後套匪首王英有兵兩師之衆，兵敗被擒至北平，以後不知下落；英即同春長子也。據前山西國會議員景太昭（名燿月）及前江蘇省長王鐵珊（名瑚）云，『王英並非土匪，而報章別有政治作用，宣傳之爲土匪，實甚冤枉』。此眞所謂『以亂政爲政，枉法爲法』矣。王同春及其二子抵北京後，寓西單牌樓舊刑部街中國地學會，約三月之久，與先君及張季直商量河套開墾事宜，組織西通墾牧公司，立案於農商部。王撥五原縣烏蘭腦包地方附近地十萬八千畝作公司基址，季直先生與先君各出銀二千元爲活動資本；定明年春四月開凍時至河套試辦。袁世凱當時聞之亦欲在口外大舉購馬，爲擴張軍隊之用。但不久亟亟謀稱帝，不暇再及此矣。同春回至山西應州。其二子往南通留學不久，以不慣南方生活，回後套。

民國四年乙卯　年五十歲

春，三月，在泗陽縣招集農人十名，往五原縣開墾。每人給旅費三十元，由泗陽步行至五原。並約地墾熟後，每人給地一百畝。約族叔化鵬來京，同往五原縣照料工人。化叔年已六十餘矣，但精神甚佳，飲食甚健。其子相禹亦隨工人同往。春，夏，秋、皆在五原親自照料一切。此時五原地曠人稀，物產極少，即青菜豆腐，欲求一飽，亦不可得。常以買一斤豆腐，幾根白菜，走至二十里外，始能得之。泗陽在江北已為窮苦，而五原縣較之泗陽更苦。泗陽農人至五原後不堪其苦，加以公司前途無大希望，二年後即俱回泗。初至烏蘭腦包，第一事即建二十餘間房屋，以便棲止。次即種菜買磨，以便飲食。後套天氣乾燥，時常全年不雨，種植全恃河渠灌溉。五原河渠頗多，皆為王同春壯年時所鑿，以後悉被沒收。政府設水利局專管放水，每畝征水租若干。規定以外，局中委員無不額外苛索，要求納賄。不納賄者不給水。地近渠邊者，每屆秋季，黃河水漲，自然泛濫，不需納賄；次年春天下種，無不豐收。地距渠遠者，為自然泛濫所不及，無渠水斷不能下種。公司地基距渠稍遠，某次為爭執賄賂多少之故，怒極，欲率工人搗毀水利局。繼思此事不可為，乃止。五原水利局隸屬綏遠將軍，中央權力所不達。天高皇帝遠，無可如何也。此時鐵路僅至豐鎮，尚未至綏遠，五原一帶農產無從輸出。即能得水，專辦墾植，亦未必有利。於是乃專注意於畜牧，買犢三百頭，小羊五百頭，猪若干養之。墾牧兼辦，求以自給足矣。秋末，自五原歸北京。留化叔及張霖溥在五原照料渡冬。

民國五年丙辰　年五十一歲

秋，後套開墾之泗陽縣農人十名，不耐後套之苦生活，俱回泗陽。有二名，經北京而回。僅張霖溥一人留套中照料本地工人畜牧事業。

民國九年庚申　年五十五歲

冬，十一月，張霖溥自後套經北京回泗陽。霖溥在五原數年，照料墾牧事業，費盡心力，經閱萬難。屢來書求接濟，並呼援助。而套中政治情形日壞，土匪猖獗，官兵騷擾，招新股則無人再肯出資，欲援助則恨鞭長莫及。所畜牧之牛羊，不爲土匪所搶而去，即爲官兵强奪屠食。其餘東藏西匿所剩留百餘頭牛羊，至是出賣結束。河套開墾，起於民國四年，至是凡六年，完全失敗，損失活動資本四千餘元。此事可為現今大聲急呼之開發西北者之殷鑑也。西通公司之失敗，一由於水利局委員貪污索賄，無法應付，不得不罷墾務。二由於軍隊之強取，所有牛羊盡被屠食，數年畜牧工作付之流水。三由於土匪之亂，使人生命財產全無保障，辦事人求一日安枕而不可得。以後欲開墾西北，而不先澄清吏治，懲貪污，禁苞苴，及約束軍隊，皆可視作紙上談兵，欺人之談也。至若土匪，則緣政治不良而產生者也。民國初年，套中無大股土匪；以後國政日益崩潰，土匪乃應運而生矣。

附錄五　五原王紳同春行狀

王文墀

（民國二十年，臨河縣志卷下，頁二九）

民國八年春，文墀奉令卸五原任，邑紳張君厚田等來署，盛述王紳同春開闢河套，殖我民族，事蹟綦詳，請為文以狀之。爰撮敘其崖略，為之狀曰：

王同春開發河套記　　三四

按王君同春，字浰川，直隸行唐人。幼負異稟，嬉游里巷，不與群兒伍，人爭異之。壯年隨兆先德來河套，縱覽周原，嘗語人曰，『沃野千里，何居乎蒙人自封自閉爲？』其有殖我民族之志固已夙矣。於是孜求農牧實業，孜孜不遑；而其生平樂而不厭，嗜而彌篤，有與終身結不解之緣者，厥惟水利。同治十二年，首先創開老郭渠。光緒六年，開哈拉各爾河；嗣又開渠口至梅令廟五加河，七年，由和合源創開永和渠，至補紅村。十五年，由老郭渠上游創開同和渠，復由土城子開口接至同和渠，改名義和渠，渠長百餘里。二十五年，創開中和渠，至五分子。二十八年，隨墾務督辦貽欽使遍勘永，豐，剛，黃，沙，義，通，長各大渠，指導動合機要。每有大工，他人咋舌束手，退避不遑者，先生從容措置，高下之宜，向背之勢，得失順逆之局，均能測於幾先，定於臨時。一時造門請者，得其片言一語，大用之大效，小用之小效。是其果操異術哉！蓋其經驗有獨至者然也。普通工作無論已，遇有疑難大工，俛而察，仰而思，面壁終夜，臨流凝立：慮其結而不解也，以無厚之精心入之；慮其瞙之不破也，以至銳之果力出之。及夫豁然貫通，直有登上下通明，踴躍狂呼，雖南面王莫易此樂者，何快如之！

昔張南通與先生談水利，終日無倦容。導淮大計，先生力持導入海之議，南通深韙其說。識者惜其未見諸實行也。

當光緒末季，蒙旗猶守閉關主義，報墾之地寥寥；先生長袖遠馭，出全力闢地五千頃，開大渠三道，待以舉火者萬家，其眞能造福我民族民生者爲何如耶！一旦豪奪其所有而歸於公，先生視之如棄敝屣，若此，其器識又爲何如耶！先生持平等主義，尙博愛，好施予。光緒十七八兩年，地方苦凶，慨出糧萬餘石，二十七年，歲大饑，慨出糧六千石賑之，活人無算。辛亥，王爺地劉天佑之變，蹂躪河套無完土，晉軍全部軍糧數千石獨力任之。此其樂善不倦爲何如耶！

按臨河未設治前，地方悉隸於五原。臨河當日農業水利，何莫非我濟川先生經營締造之所賜。士食舊德，農服先疇，至今父老猶樂道之。用附志乘以志不諼云。

王同春開發河套記　三六

按中和渠未詳。哈拉各爾河亦未詳，而綏遠省分縣圖中五原有哈拉烏素渠，未審即此否。吳志順記。

王同春開發河套記　每册定價六分
（郵費在內）
民國二十四年二月初版

版權所有
翻印必究

著作者　顧頡剛
發行者　平綏鐵路管理局
平綏鐵路管理局
經售處所　平綏鐵路各站站長室
各地中國旅行社

後記

我是從數學史學習中逐步瞭解治黄史的。漢代《許商算術》的作者許商，好天文術數之事的王景、李尋善，他們既是數學家，又以治理黄河而聞名。我國現存最早的河工著作《河防通議》，將中國古典數學天元術運用到治黄工程中，創造了中國古代工程數學的一個高峰。除了數學史之外，内蒙古師範大學科學技術史研究還以少數民族科技史和地方科技史見長。李迪先生曾指出地方科技史研究的重要内容是人與自然環境變遷、科技遺迹與自然環境以及環境與生産的關係，此類研究具有明顯的現實意義和重要價值。想要通過大科學史研究，弄清變遷的原因和未來的發展趨勢，産出對于地方各方面的開發有更大、更直接價值的成果，這類研究大多離不開文獻。之後，李迪先生更是直接指出科技史研究不僅是對過去的科技工作和科技成果的回顧與總結，而且要着眼于現代，讓古人的發明創造爲今人服務，繼續在現代發揮其應有的作用。我將先生大科學史的治學理念視爲座右銘，在科研工作中更加注重讓科研成果服務于國家戰略與區域發展需求。

二〇一九年九月，習近平總書記在黄河流域生態保護和高質量發展座談會上指出，黄河流域在我國經濟社會發展和生態安全方面具有十分重要的地位。黄河流域生態保護和高質量發展是重大國家戰略。同年十月，黨的十九届四中全會提出『加强邊疆治理，推進興邊富民』，首次把邊疆治理寫入黨的文件。内蒙古師範大學組織科研力量，積極申報研究闡釋黨的十九届四中全會精神的國家社科基金重大項目，其中『中國特色社會主義民族區域自治制度自信研究』項目獲批。我承擔其中的『鑄牢中華民族共同體意識下的民族自治地方文化自信研究』子課題，而黄河是首選文化要素。二〇二四年，該項目順利結項，我也對黄河文化所藴含的時代價值有了更深的體會。

有鑒于此，我帶領文化遺産智能應用服務中華民族共同體建設『英才興蒙』團隊，以黄河爲主題，開展了文獻、文物、傳統工藝等多模態資源庫建設和跨模態應用示範工作。這次與内蒙古人民出版社合作出版的《黄河國家治理文獻集成》，旨在梳理和總結文獻中所藴含的歷史經驗和文化信息，爲當代及未來的黄河治理和地方文旅産業發展提供參考與借鑒。

感謝内蒙古民族文化産業研究院、巴彦淖爾市圖書館等单位的傾力相助，感謝内蒙古自治區黨委宣傳部、内蒙古出版集團、内蒙古人民出版社對本項目的支持與幫助。

在此，也向致力于黄河治理和大河安瀾的歷代先賢與當代典範表達崇高的敬意：你們的不懈努力與無私奉獻，爲黄河的安寧與人民的福祉築起了堅實的防綫；你們的智慧與勇氣，將永遠銘刻在中華民族的歷史豐碑上，激勵後人不斷前行。

董杰

二〇二五年一月